La fibromialgia
Consejos y tratamientos para el bienestar

Si desea recibir información gratuita
sobre nuestras publicaciones, puede
suscribirse en nuestra página web:

www.amateditorial.com

también, si lo prefiere, vía email:

info@amateditorial.com

Síganos en:

@amateditorial

Editorial Amat

Antonio Collado, Xavier Torres, Anna Arias,
Emilia Solé, Laura Salom, Emili Gómez
y Laura Isabel Arranz

La fibromialgia
Consejos y tratamientos para el bienestar

© Antonio Collado, Xavier Torres, Anna Arias, Emilia Solé, Laura Salom, Emili Gómez
y Laura Arranz, 2016
© Profit Editorial I., S.L. 2016
Amat Editorial es un sello de Profit Editorial I., 2016
Travessera de Gràcia, 18; 6º 2ª; Barcelona-08021

Diseño cubierta: XicArt
Maquetación: Eximpre SL

ISBN: 978-84-9735-864-4
Depósito legal: B. 16.018-2016
Primera edición: septiembre, 2016

Impreso por: Liberdúplex
Impreso en España – *Printed in Spain*

Índice

Agradecimientos

Los autores de este libro dan las gracias más sinceras a todas aquellas personas afectadas o no por la enfermedad que de una forma altruista y solidaria colaboran con las múltiples asociaciones existentes en nuestro país, donde realizan un trabajo excepcional en su atención de las necesidades de las personas afectadas por esta enfermedad y en su lucha incondicional por la mejora de su calidad de vida.

Nuestro agradecimiento también a Helena Flórez Herinch por sus sugerencias que han enriquecido el resultado final del libro.

Prólogo

La fibromialgia está considerada como la enfermedad paradigma del dolor. De un dolor que incide, de forma determinante y negativa, en la calidad de vida de las personas que lo sufren. Pero la fibromialgia es además, y todavía, una enfermedad controvertida, tal como se constata en ámbitos tan fundamentales para los enfermos como son los de la salud, la justicia y la protección social, con diversidad de criterios, atención sanitaria, baremaciones y sentencias judiciales.

La controversia alcanza también el campo de la literatura científica. Por todo ello, y mucho más, escribir un libro sobre fibromialgia es ya un gran reto en sí mismo, sobre todo si aspira a ser referente en su campo de acción.

Esta es la aspiración de este libro, escrito desde una amplia experiencia profesional en el tratamiento multidisciplinar, significando una vuelta de tuerca de calidad a las publicaciones reseñadas hasta el momento, ya que está hecho desde la dedicación absoluta a la enfermedad y el respeto hacia el paciente.

Haber conseguido unir la acción decidida de apoyo a los profesionales de la salud poniendo, al mismo tiempo, al paciente en el epicentro de la acción terapéutica, convierte a este libro en altamente ambicioso en los objetivos, riguroso y académico en los contenidos, científico y formativo en el fondo, didáctico en las formas y generoso en su conjunto.

Este libro, gestado por el equipo de profesionales de la Unidad de Fibromialgia del Hospital Clínic de Barcelona, pone a disposición de los profesionales de la salud y del público en general su amplia experiencia en el campo de la atención, formación, docencia e investigación. Con información, protocolos, consejos y estrategias de abordaje de la enfermedad en su conjunto. Desde la realidad y sin falsas expectativas, pero con mentalidad científica abierta y sin apriorismos. Dirigido a la exploración, estudio y experimentación de fórmulas que –por encima de todo– ayuden al enfermo y mejoren su calidad de vida.

Los autores, conscientes de que, si en el proceso de tratamiento de cualquier enfermedad es muy importante que el paciente sea un agente activo, en esta en particular, la fibromialgia, la experiencia les ha demostrado que la implicación de un paciente informado es decisiva. Por ello, han hecho un ejercicio de síntesis, de depuración de sus conocimientos, para que este libro sea para los profesionales un manual riguroso sobre esta enfermedad y, al mismo tiempo, una información de fácil lectura y comprensión para el paciente.

Todo ello con la finalidad última de armonizar el trabajo del profesional con la voluntad del paciente, en una simbiosis o corresponsabilidad frente a la enfermedad, cada uno desde su lado de la mesa de la consulta. Con la profesionalidad y humanidad que, en definitiva, debería regir cualquier proceso o acción terapéutica.

EMÍLIA ALTARRIBA ALBERCH
Presidenta de la Fundación Afectados Fibromialgia y Síndrome de Fatiga Crónica
Fundación FF

1

¿Qué es la fibromialgia?

Breve historia de la fibromialgia

El término fibromialgia procede del latín *fibra*, que se refiere al tejido fibroso (el que se encarga de unir los demás tejidos entre sí), y del griego *mio* (músculo) y *algia* (dolor).

En 1815, un cirujano de la Universidad de Edimburgo, William Balfour, ya describió la fibromialgia como nódulos en el «músculo reumático» (abultamientos en el músculo) que se notaban al palpar las zonas musculares en contracción.

En 1841 el médico francés François Valliex le dedicó un amplio apartado en su libro *Tratado sobre neuralgia* y en 1843, el anatomista alemán Robert R. Floriep describió algunas características en su tratado de *Patología y terapia de los reumatismos*, al notar que se producía dolor en algunas zonas corporales al palparlas o presionarlas moderadamente.

Sin embargo, la primera definición oficial de la enfermedad se atribuye al neurólogo británico Sir William Gowers, quien en 1903 pensó que podría tratarse de una inflamación del tejido fibroso y, por tanto, la llamó *fibrositis,* término que poco a poco fue cayendo en desuso.

Años después, en 1975, dos investigadores fundamentales (Smythe y Moldofsky) pensaron que la mala calidad del sueño podía ser una de las alteraciones principales de la fibromialgia y motivo del resto de síntomas.

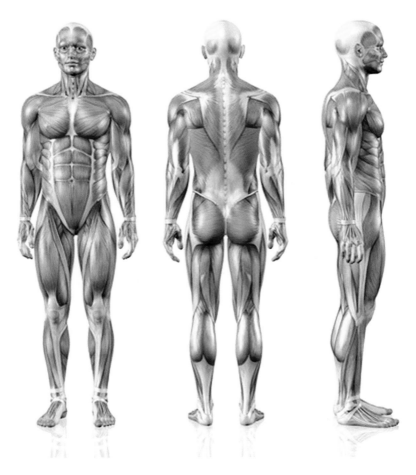

Estos investigadores, junto con otros autores, como Yunus o Goldenberg, fueron los responsables de definir el primer conjunto de criterios diagnósticos de esta enfermedad. En concreto, el dolor generalizado de más de tres meses de duración, la alteración del sueño acompañada de fatiga y rigidez matutinas y el descenso generalizado del umbral para el dolor provocado.

Finalmente, en el año 1990 la Academia Americana de Reumatología publica los primeros criterios diagnósticos consensuados.

En 1992, en la Declaración de Copenhague, la fibromialgia fue reconocida como enfermedad por la Organización Mundial de la Salud, tipificándola con el código M79.7 en el manual de Clasificación Internacional de Enfermedades. En el año 1994, también fue reconocida por la Asociación Internacional para el Estudio del Dolor, que la clasificó con el código X33.X8a.

El día 12 de mayo ha sido designado Día Internacional de la Fibromialgia, conmemorando el nacimiento de Florence Nightirgale, afectada por la enfermedad y que fue pionera de la enfermería moderna y figura decisiva en la creación de la Cruz Roja Británica.

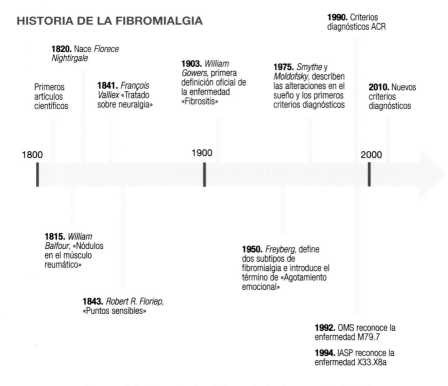

HISTORIA DE LA FIBROMIALGIA

1990. Criterios diagnósticos ACR

1820. Nace *Florece Nightirgale*

Primeros artículos científicos

1841. *François Valliex* «Tratado sobre neuralgia»

1903. *William Gowers*, primera definición oficial de la enfermedad «Fibrositis»

1975. *Smythe* y *Moldofsky*, describen las alteraciones en el sueño y los primeros criterios diagnósticos

2010. Nuevos criterios diagnósticos

1800   1900   2000

1815. *William Balfour*, «Nódulos en el músculo reumático»

1950. *Freyberg*, define dos subtipos de fibromialgia e introduce el término de «Agotamiento emocional»

1843. *Robert R. Floriep*, «Puntos sensibles»

1992. OMS reconoce la enfermedad M79.7

1994. IASP reconoce la enfermedad X33.X8a

Figura 1.1. *Cronología de los principales acontecimientos en la historia de la fibromialgia.*

Prevalencia de la fibromialgia

La fibromialgia es la causa más común de dolor crónico generalizado músculo-esquelético. En España la padece el 2,4% de la población adulta aproximadamente, con una prevalencia más elevada en mujeres. Por cada hombre, entre 6 y 8 mujeres están afectadas. Se calcula que unas 800.000 personas sufren esta enfermedad en España. Varios estudios hechos en otros países, como Francia, Suecia, Alemania, Italia, Canadá y Estados Unidos muestran una prevalencia de entre el 2-3% de la población, muy similar a la de nuestro país.

La fibromialgia acostumbra a presentarse entre los 35 y los 55 años pero puede hacerlo en cualquier etapa de la vida. Se observan casos de esta enfermedad incluso en niños y adolescentes, aunque en mucha menor proporción.

En resumen, la fibromialgia es una enfermedad frecuente en nuestra sociedad, con claro predominio en las mujeres y cuyos principales síntomas son el dolor crónico, la fatiga y las alteraciones del sueño.

Síntomas de la fibromialgia

La fibromialgia es un ***síndrome,*** es decir, se caracteriza por un conjunto de síntomas interrelacionados. El síntoma más frecuente de ellos es el ***dolor extenso*** en amplias zonas corporales que se mantiene en el tiempo. Además del dolor, existen una multitud de síntomas asociados como fatiga, alteraciones en el sueño, problemas de atención y concentración, ansiedad, entre otros.

Generalmente, la fibromialgia evoluciona con oscilaciones, con periodos en que el paciente se encuentra mejor y otros en los que se encuentra peor.

Vamos a comentar a continuación con más detalle los síntomas más frecuentes con los que el paciente con fibromialgia acude a su médico.

Dolor

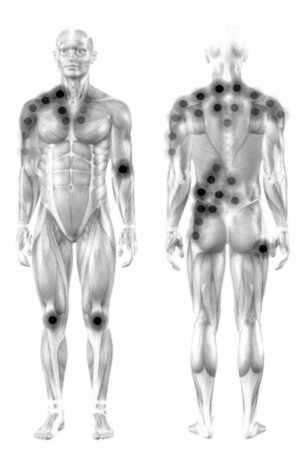

Aunque muchas personas con fibromialgia presentan antecedentes de dolor intermitente en la zona cervical o lumbar durante años, generalmente el dolor se inicia de manera gradual. En ocasiones, en varias zonas del cuerpo de forma extensa, y en otras empieza en un área determinada como el cuello, parte superior de los hombros, la columna lumbar, etcétera, y se va extendiendo a las extremidades.

Las partes más afectadas suelen ser: zona cervical y occipital, trapecios, hombros, brazos, zona lumbar, caderas y muslos. Frecuentemente, las personas con fibromialgia también presentan dolor en rodillas, antebrazos, muñecas, manos (palma y dedos), tobillos y pies.

La persona con fibromialgia le suele decir al médico que le «duele todo el cuerpo». Describen el dolor como «si tuvieran moratones en todo el cuerpo», a veces quemante o ardiente y otras como si les estuvieran pinchando. En ocasiones, el dolor se acompaña de hormigueo, adormecimiento o rampas.

La intensidad del dolor no es siempre la misma y sigue un ritmo circadiano, es decir, suele empeorar por la mañana, mejora de manera progresiva al avanzar el día y vuelve a empeorar por la tarde-noche. Además, otros factores como el ejercicio mal realizado, las cargas o esfuerzos físicos, determinadas posturas y el estrés psíquico pueden exacerbar el dolor.

Aunque muchas personas con fibromialgia atribuyen los empeoramientos del dolor a los cambios climáticos, no hay pruebas concluyentes de que el tiempo atmosférico influya en la intensidad del dolor o la fatiga.

Por otra parte, el reposo motivado por la fatiga y la rigidez muscular no suele aliviar el dolor, sino que más bien lo empeora cuando es excesivamente prolongado y la persona intenta reanudar su actividad.

Fatiga

La fatiga o sensación de cansancio es un síntoma frecuente que se halla presente en alrededor del 80-90% de los pacientes y se mantiene más o menos constante a lo largo del día (aunque suele ser especialmente intenso por la mañana y a última hora de la tarde). También se puede producir en forma de crisis de agotamiento de 1 o 2 días de duración.

Las personas con fibromialgia suelen sentirse sin energía, cansados cuando realizan un esfuerzo, incluso cuando es moderado, y aunque mejoran con el reposo dicen sentirse «como si me hubiesen pegado una paliza». Las personas con esta enfermedad sufren una baja tolerancia a los esfuerzos físicos que, además, les producen dolor, por lo que suelen evitarlos. Esto desencadenará a la larga que la persona se fatigue con esfuerzos cada vez más leves (menos tolerancia al esfuerzo físico), evite realizarlos y presente rigidez articular y disminución de tono muscular que pueden favorecer el dolor.

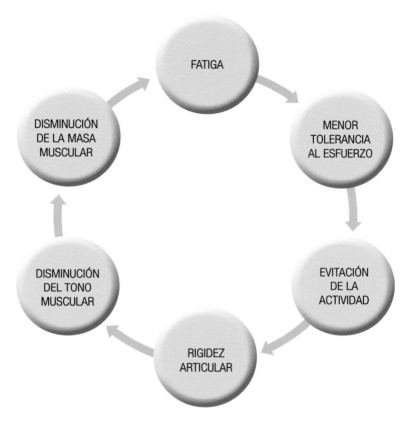

Figura 1.2. *Círculo vicioso de fatiga y evaluación de la actividad.*

Algunos pacientes presentan una fatiga grave que predomina por encima del dolor, provocando una dificultad significativa para la realización de las actividades de la vida diaria. En esta situación, decimos que el paciente presenta un Síndrome de Fatiga Crónica consecuencia de la enfermedad.

Alteraciones del sueño

Las personas con fibromialgia explican que tienen dificultad para conciliar el sueño con frecuencia, que este es muy superficial y que se despiertan a menudo por la noche. Además, a la mañana siguiente tienen una sensación subjetiva de no haber descansado.

Se han realizado diversos estudios polisomnográficos que permiten valorar tanto la cantidad como la calidad del sueño y se han detectado
diversas anomalías; por ejemplo, presentar una actividad cerebral propia del sueño superficial durante las fases del sueño profundo. Por ese
motivo, la persona con fibromialgia tiene un periodo más limitado de
sueño profundo lo que le provoca esa sensación de sueño no reparador
descrita anteriormente.

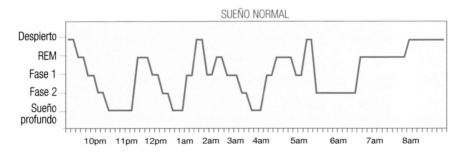

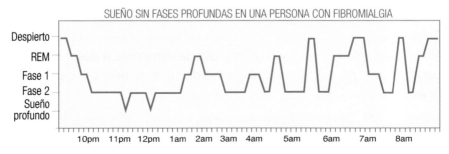

Figura 1.3. *Las personas con fibromialgia presentan menos fases de sueño*
profundo

Muchas de las personas con fibromialgia sufren un trastorno del sueño, pero dormir mal también puede ser causado por otros factores como el estrés, el exceso de actividad, el exceso de reposo durante el día y la falta de un entorno adecuado o de unos buenos hábitos de sueño.

Problemas cognitivos

Con frecuencia, las personas con fibromialgia se quejan de dificultades cognitivas, especialmente dificultad para recordar con rapidez cosas que han sucedido recientemente, encontrar la palabra adecuada para explicarse o dificultades para mantener la atención o concentración. Estos síntomas se pueden ver agravados por varios factores como la fatiga, un exceso de actividad, una alteración del estado de ánimo, un sueño no reparador o el estrés, entre otros.

Cuando se realizan pruebas neuropsicológicas habituales no se detectan alteraciones compatibles con un proceso de demencia, a pesar de que el paciente subraya su sensación subjetiva de no responder adecuadamente en las condiciones habituales de la vida cotidiana.

Sin embargo, algunas pruebas especiales realizadas en condiciones de estrés o en condiciones donde la persona tiene una necesidad importante de responder adecuadamente, se observan más fallos en los pacientes con fibromialgia. Esto nos indica que las alteraciones cognitivas

que refieren las personas con fibromialgia son producidas en función de
la situación y detectadas en ciertas condiciones que pueden darse en la
vida diaria.

También se ha observado con pruebas sobre la memoria espacial realizadas mediante realidad virtual que las personas con fibromialgia presentan alteraciones en la capacidad de navegación espacial, lo que indica
una mayor facilidad de desorientación.

Otros síntomas

Las personas con fibromialgia pueden presentar otros síntomas como
depresión y ansiedad, cefalea tensional o migraña, dolores en la mens-
truación, tintineo en los oídos, mareos, sensibilidad a la luz, intolerancia
a los ruidos, olores y temperatura, sensación de sequedad en la boca y
los ojos y alteraciones del ritmo intestinal, entre otros.

2

Origen de los síntomas

¿Por qué tengo dolor? ¿Cómo sentimos el dolor?

Para entender por qué y cómo se produce el dolor en nuestro cuerpo, tanto en las personas sanas como en aquellas que tienen una enfermedad que les produce dolor, es necesario conocer y entender el funcionamiento del llamado **sistema nociceptivo.**

El sistema nociceptivo, está integrado en nuestro sistema nervioso (tanto a nivel corporal o periférico como a nivel cerebral o central). Tiene como objetivo detectar cualquier posible amenaza o daño que se pueda producir en cualquier parte de nuestro organismo, en su funcionamiento habitual y en su relación con el entorno.

Sus objetivos principales serán evitar el daño corporal y/o ayudar a su reparación en caso de que este se haya producido.

Para conseguir estos objetivos, el sistema nociceptivo necesita detectar y analizar todos aquellos estímulos psicofísicos potencialmente dañinos.

En condiciones habituales, el sistema nociceptivo suele estar en reposo, y está diseñado para actuar cuando recibe un estímulo (mecánico, térmico, químico, eléctrico, psicológico, etcétera) relacionado con un posible daño.

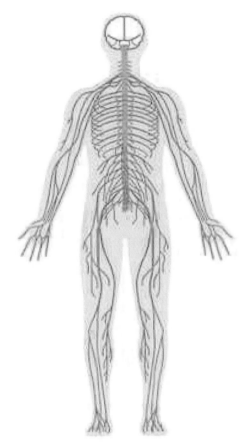

Figura 2.1. *Sistema nociceptivo.*

Cualquiera de estos estímulos que lleguen a nuestro cuerpo o nuestra mente desencadenará en el sistema nociceptivo una serie de fenómenos electroquímicos que son responsables del dolor.

El sistema nociceptivo está compuesto por fibras finas nerviosas especializadas cuya terminación es en forma de receptores, llamados nociceptores, que están distribuidos en el seno de todos los tejidos corporales (piel, grasa, músculo, tendones, ligamentos, huesos, vísceras, etcétera) y que posteriormente viajan por la medula y se organizan en algunas partes de nuestro cerebro.

Estos nociceptores están habitualmente en reposo y se excitarán al recibir estímulos físicos de alta intensidad que sean potencialmente dañinos. No necesariamente deberá existir una herida o lesión para que se exciten; solo es necesario que el estímulo sea intenso. El nivel de estimulación a partir del cual los receptores se excitarán se llama «*umbral para el dolor*».

La activación de estos nociceptores producirá un proceso de excitación de toda la neurona que alcanzará la medula espinal, y generará la liberación de unas sustancias químicas o neurotransmisores como glutamato, aspartato, sustancia P, neuroquininas, etcétera, que a su vez excitarán a las neuronas vecinas, desarrollando un proceso de transmisión de la información dolorosa hacia nuestro cerebro mediante un mecanismo electro-químico en cadena.

Una vez que el estímulo llega a nuestro cerebro, estas vías o cadenas de neuronas nociceptivas se distribuirán en diversas áreas cerebrales, alcanzando las áreas sensoriales, lo que nos permitirá localizar el origen del estímulo y la calidad del mismo y las áreas emocionales, donde podremos sentir la experiencia desagradable que representa el dolor.

El resultado de la integración de ambos procesos, determinará que sintamos **dolor** en aquella parte del cuerpo que ha sido estimulada intensamente. Actualmente, la resonancia magnética nos está permitiendo visualizar las áreas cerebrales que participan en el proceso de elaboración del dolor.

Esta activación del sistema nociceptivo, no solo se produce a través de la información que se recibe de los nociceptores situados en los diferentes tejidos corporales. También se ha podido demostrar que algunas áreas de nuestro cerebro son activadas previamente con información visual, acústica y olfativa que recibimos y procesamos en nuestro cerebro utilizando la memoria de nuestras experiencias de posibles amenazas en el pasado.

En el momento que visualizamos un posible estímulo que interpretamos como amenazante, por ejemplo, una aguja que se acerca irreversiblemente hacia nuestro brazo sin que podamos evitarlo, el sistema nociceptivo inicia ya un preencendido de algunas áreas cerebrales, antes de que la aguja toque la piel de nuestro brazo y estimule definitivamente nuestros receptores nociceptivos, favoreciendo con ello la percepción y elaboración del dolor.

Una vez que se ha producido la activación del sistema nociceptivo, el sistema continúa activando otras zonas del cerebro. Por ejemplo, a través de un núcleo del cerebro llamado amígdala, el cual nos hace sentir la amenaza, se activa el sistema automático neurovegetativo y notamos que los músculos se tensan, el corazón y la respiración se aceleran, eliminamos temperatura mediante la sudoración, la boca se reseca y las funciones básicas de mantenimiento, como la digestión y la sexualidad disminuyen.

Esta acción automática tiene como misión prepararnos para una respuesta rápida en la evitación del daño.

La activación del sistema nociceptivo nos hace sentir dolor, pero si la respuesta es rápida y certera, podremos evitar el daño tras recibir un estímulo potencialmente dañino. Si, finalmente, hemos podido evitar el posible daño, el sistema necesitará apagarse y resolver el dolor. Pues bien, la misma activación del sistema nociceptivo provoca a su vez una activación de neuronas que descienden de nuevo hacia la medula y van a parar al mismo punto por donde estaba entrando la información nociceptiva.

Las neuronas que descienden liberan en las conexiones de la medula espinal, otras sustancias neuroquímicas, como endorfinas, adrenalina, serotonina, endocannabinoides, glicina, etcétera, que en esta ocasión tendrán una acción inhibitoria, disminuyendo la actividad de las neuronas implicadas y por tanto apagando progresivamente el dolor.

¿Qué sucedería si este estímulo de alta intensidad, potencialmente dañino, ha provocado una lesión o herida en alguna parte del organismo?

En este caso, el sistema nociceptivo cambia su *modus operandi*. Su misión ya no es evitar el daño, sino ayudar a reparar la lesión, protegiendo la zona corporal dañada, activando y regulando el proceso de inflamación que se produce en la lesión, para obtener la curación de la misma.

De hecho, la inflamación que se produce en la zona dañada genera una serie de sustancias químicas que se vierten en el seno de la herida y que son capaces de provocar un cambio físico de las propias neuronas nociceptivas afectadas, activando algunos genes en su núcleo que son capaces de cambiar estructuralmente a la neurona haciéndola más sensible a cualquier estimulación.

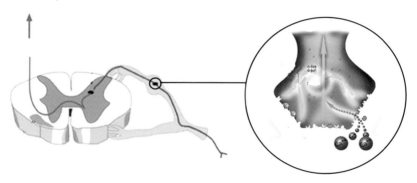

Figura 2.2. *Proceso de sensibilización del sistema nociceptivo en el ganglio raquídeo*

Lo que sucede es que el *umbral para el dolor*, que los nociceptores de la zona dañada tenían para detectar los estímulos amenazantes, desciende y a partir de ahora los estímulos aunque sean pequeños también excitan y activan el sistema provocando dolor. Por eso nos produce dolor tocar las heridas o las zonas vecinas. Este proceso se denomina «sensibilización» y explica por qué las heridas y las regiones vecinas a las mismas son más dolorosas y más sensibles a cualquier estímulo.

Cuando las heridas se curan, el proceso de sensibilización se reduce, pero puede que no desaparezca del todo, quedando las zonas que han sido lesionadas con una especial fragilidad y mayor sensibilidad al dolor.

Es conocido que sobre antiguas lesiones o heridas corporales se puede sentir dolor muchos años después, coincidiendo con los cambios climáticos u otros factores, especialmente si han sido dañadas las neuronas nociceptivas en la propia lesión.

¿Solamente los estímulos de alta intensidad pueden producir un proceso de activación o sensibilización?

Uno de los fenómenos más interesantes en el desencadenamiento de la activación y sensibilización del sistema nociceptivo, es que también se puede producir o potenciar en ausencia de estímulos intensos o de lesiones o heridas aparentes.

Aunque el sistema nociceptivo se excita habitualmente con estímulos de alta intensidad, también es capaz de reconocer estímulos de baja intensidad, especialmente cuando estos son repetidos de forma frecuente o cuando se realizan de una manera continua y mantenida.

Imaginemos un pequeño golpecito aplicado repetidamente con el dedo índice sobre una región corporal de una persona durante horas. Una estimulación de este tipo podría provocar dolor en la zona estimulada, y si se prolongara dicha estimulación también se afectarían las regiones vecinas.

En la vida cotidiana se pueden producir asiduamente en nuestro organismo estimulaciones de baja intensidad y alta frecuencia, ya sean de carácter mecánico, térmico, auditivo, químico o psicológico.

Como veremos más adelante, los patrones de persistencia en la actividad comportarán una estimulación continuada o frecuente que, aunque no sean de alta intensidad, pueden ser factores favorecedores de la sensibilización del sistema nociceptivo.

¿Qué le pasa al sistema nociceptivo en las personas con fibromialgia?

Todavía no conocemos la causa exacta por la cual el sistema nociceptivo se enferma en las personas que desarrollan fibromialgia. Desconocemos cuáles son los mecanismos moleculares íntimos que nos pueden explicar por qué un sistema que debería estar en reposo se activa de forma espontánea y continuada, disminuyendo su umbral para el dolor hasta el punto de provocar dolor espontáneo, o se activa con estímulos de baja intensidad, aunque estos no sean potencialmente dañinos.

El descenso del *umbral para el dolor* que se produce en los pacientes con fibromialgia es generalizado, y afecta a las fibras nerviosas que están en comunicación con los tejidos periféricos como músculos, piel, huesos, tendones, ligamentos y fascias, lo que produce un dolor extenso y espontáneo en estas estructuras.

Diversos fenómenos registrados mediante técnicas sofisticadas (como el QST y la microneurografía) han puesto de manifiesto un estado de hiperexcitabilidad del sistema de transmisión del dolor, especialmente a nivel de las Fibras C, traduciendo la presencia de una enfermedad en estas fibras finas nociceptivas como un hecho relevante en esta enfermedad.

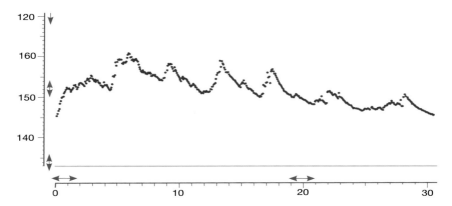

Figura 2.3. *Actividad espontánea observada en las fibras finas tipo C a nivel del nervio del tarso en el pie de personas con fibromialgia. Serra J, Collado A, Solà R, Antonelli F, Torres X, Salgueiro M, et al. Hyperexcitable C nociceptors in fibromyalgia. Ann Neurol. 2014; 75(2):196-208*

No es de extrañar que esta actividad espontánea y continuada que se transmite al cerebro durante segundos, minutos, horas, días, semanas, meses y años, provoque un efecto significativo sobre algunas de las estructuras cerebrales de las personas con fibromialgia.

Las investigaciones de los últimos años, que han sido corroboradas por nuestras propias investigaciones, observan que en las personas con esta enfermedad se produce una actividad incrementada anormal en las regiones cerebrales del procesamiento del dolor.

La actividad anómala de estas áreas cerebrales donde se procesa la experiencia sensorial y emocional dolorosa se produce tanto en reposo como al aplicar estímulos pequeños y potencialmente no dañinos, lo cual no sucede en las personas sanas. Este fenómeno traduce la presencia de un estado patológico conocido como «sensibilización central» del sistema nociceptivo en las personas con fibromialgia y que podría ser en gran parte la consecuencia de ese flujo continuo de información dolorosa que reciben las áreas cerebrales desde las fibras nociceptivas anómalas distribuidas por el cuerpo.

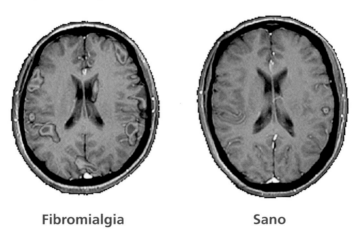

Fibromialgia **Sano**

Figura 2.4. *Diferencia de la respuesta cerebral en el sistema nociceptivo, que se produce en una persona con fibromialgia respecto a una persona sana cuando recibe un estímulo pequeño de baja intensidad, potencialmente no nocivo en el pulgar de la mano, utilizando la resonancia magnética funcional. (Imágenes cedidas amablemente por el Dr. J. Pujol y el Dr. J. Deus (CDC, IMAS).*

Cada vez hay más evidencias en estudios histológicos recientes realizados con microscopia óptica y electrónica de la existencia de una patología de estas neuronas periféricas especializadas en la conducción del dolor.

¿Por qué no descanso bien? ¿Por qué me encuentro inquieta, a veces tengo taquicardia, sensación de temblor, sudoración, y me encuentro hinchada?

Como hemos comentado previamente, la activación del sistema nociceptivo conlleva intrínsecamente una respuesta de nuestro sistema neurovegetativo o autónomo, con la misión de preparar nuestro cuerpo para evitar o resolver el daño que se pueda producir.

El sistema nervioso autónomo se denomina de esta manera porque no lo podemos controlar a nuestra voluntad, sino que él es quien controla los niveles de tensión arterial, la frecuencia cardíaca, la movilidad intestinal, la dilatación de los bronquios, etcétera, y lo hace en función de la actividad biológica de los individuos.

Por ejemplo, si vivimos una situación de peligro y de estrés, nos preparará para reaccionar de la manera más adecuada, es decir, subirá la tensión arterial, la frecuencia cardiaca, los bronquios se dilataran, para poder obtener una mayor entrada de aire y oxigenación y así obtener una mayor y mejor perfusión sanguínea en nuestros tejidos musculares aportándoles el oxígeno y la glucosa necesarios. Las pupilas se dilatarán para tener mayor información visual, etcétera. Todo ello, con el objetivo de estar en las mejores condiciones para afrontar la situación de alerta o de peligro.

Se ha podido observar que los pacientes con fibromialgia mantienen una actividad alterada del sistema nervioso autónomo, lo que provoca un aumento del tono muscular que puede favorecer la contractura y el temblor; el ritmo cardiaco se manifiesta a veces con taquicardia, aumenta la sudoración, se producen cambios en la microcirculación con sensación de alteraciones en la temperatura corporal, surgen dificultades en la acomodación visual, etcétera.

Es lógico esperar también que con la presencia de un dolor mantenido durante semanas, meses o años, se genere un estado de cansancio del sistema nervioso autónomo que contribuye a la fatiga, a alteraciones del sueño y del sistema cardiocirculatorio como hipotensión o taquicardia, alteraciones en el ritmo digestivo, genitourinario, etcétera.

En resumen, en situaciones de estrés el funcionamiento de los sistemas neurovegetativos y hormonales de las personas con fibromialgia parece estar alterado. Esta alteración puede aumentar el dolor y la fatiga, provocar que las respuestas de estrés sean más intensas, más duraderas y que deba manejarse el estrés en inferioridad de condiciones físicas.

Por otro lado, también pueden tener consecuencias sobre el metabolismo, con tendencia a la retención de líquidos y la ganancia de peso.

¿Por qué estoy cansada?

La sensación de cansancio en las personas con fibromialgia es un hecho muy frecuente y en algunas personas este síntoma toma un protagonismo determinante. En ocasiones, se pueden confundir o mezclar diversos síntomas: apatía, falta de energía, desmotivación, astenia, cansancio físico y sensación de agotamiento no proporcional al esfuerzo realizado. Ello hace pensar que en el síntoma fatiga estén implicados mecanismos de diferente índole.

Como hemos comentado, en las personas con fibromialgia se ha observado una disminución de las respuestas neurovegetativas autónomas después de una demanda. Pero también se ha observado una disminución de las moléculas de almacenamiento energético a nivel muscular, y alteraciones en los procesos de oxidación celular, lo que supone un impacto metabólico agravado por la pérdida del acondicionamiento físico que los pacientes sufren a causa del dolor.

Tengo dificultades para concentrarme y acordarme de las cosas. ¿Tendré alguna enfermedad degenerativa?

Con frecuencia las personas con fibromialgia se quejan de alteraciones en la esfera cognitiva, conocidas como fibro-niebla o disfunción cognitiva. Estos síntomas comprenden dificultades en los procesos cognitivos complejos, como la memoria, las funciones ejecutivas y la atención o concentración.

Se ha observado mediante estudios con neuroimagen que los pacientes con fibromialgia, necesitan activar un mayor número de áreas corticales durante la misma tarea de memoria que las personas sanas y, por tanto, deben realizar un mayor esfuerzo. Este hecho podría ser especialmente relevante en aquellas tareas que requieran múltiples funciones, especialmente en las épocas de mayor dolor, que ha sido la variable más relacionada con estos síntomas.

Sin embargo, no se ha observado un deterioro progresivo de las memorias estructurales o procesos de razonamiento como sucede en las enfermedades neurodegenerativas.

3

Causas de la fibromialgia

¿Hay factores que predisponen a la fibromialgia?

Género

Entre el 80 y 90% de los pacientes que sufren fibromialgia son mujeres, lo que nos indica que el género es un factor de predisposición muy importante. Desconocemos porque la mujer está más afectada y porque su sistema nociceptivo se ve especialmente afectado.

Diferentes investigaciones han observado que el sistema nociceptivo de la mujer tiene una mayor capacidad de discriminación y detección de los estímulos amenazantes o potencialmente dañinos. Si aplicamos dos estímulos punzantes sobre la piel y los vamos acercando progresivamente, llegará un momento en que solo notemos un estímulo. Pues bien, ese momento llega antes en el hombre, mientras la mujer puede continuar discriminando los dos estímulos aunque siga aproximándose.

Otros estudios han observado también que el sistema nociceptivo presenta en la mujer signos de sensibilización más precoces y duraderos con estímulos potencialmente sensibilizadores aplicados en el músculo, frente a lo que sucedería en el hombre.

Antecedentes familiares y mecanismos genéticos

La fibromialgia no es una enfermedad hereditaria. Sin embargo, se ha observado que los familiares de primer grado de las personas con fibromialgia tienen más riesgo de desarrollarla. El riesgo de desarrollar una fibromialgia es ocho veces superior si un familiar de primer grado también la padece. Varios estudios observan que hasta un 18% de los familiares de las personas con fibromialgia desarrollarán este síndrome. Aunque no es un riesgo excesivamente elevado, es superior al de la población general.

> **La probabilidad de que los hijos presenten la enfermedad es baja, aunque mayor que en la población general.**

Este aumento en la predisposición familiar podría ser de origen genético. Algunos estudios realizados con gemelos sugieren que aproximadamente la mitad del riesgo de desarrollar una fibromialgia puede ser genético.

Hasta la fecha, los estudios sobre los genes responsables de la predisposición a sufrir una fibromialgia no han obtenido resultados concluyentes. Y no se ha observado ningún gen o grupo de genes relacionados específicamente con la enfermedad. No obstante, sí existen algunos datos interesantes sobre la influencia de algunas mutaciones genéticas en el funcionamiento de las vías neuroquímicas relevantes para la transmisión del dolor.

En resumen, parece que los familiares de primer grado de una persona con fibromialgia tienen más riesgo de padecerla.

Algunos factores genéticos (aunque todavía no sabemos exactamente cuáles) parecen actuar como factores de riesgo para la fibromialgia pero no de forma independiente sino en combinación con factores ambientales adversos.

Además, los factores genéticos interactúan con otras variables psicológicas para influir en la gravedad de la fibromialgia y en la manera de afrontarla, lo que puede determinar la respuesta al tratamiento y las posibilidades de recuperación.

Otros factores médicos

Algunos estudios epidemiológicos han puesto de manifiesto que la aparición de la enfermedad sería más frecuente en las personas que tengan:

- Presencia previa de cefalea crónica o dolor crónico de espalda.
- Alguna enfermedad reumatológica inflamatoria.
- Antecedentes de familiares con fibromialgia.

Factores desencadenantes más comunes del inicio de los síntomas

Diversos estudios ponen de manifiesto que en una gran parte de los pacientes que desarrollan esta enfermedad no se observa ningún factor desencadenante del inicio de los síntomas.

Sin embargo, muchos pacientes describen factores vitales estresantes (de origen físico o psicológico) relacionados temporalmente con la aparición de los síntomas o el agravamiento de los mismos de una forma significativa.

Cargas físicas

La mayor parte de los trabajadores estamos expuestos en mayor o menor medida a posturas anómalas, movimientos inadecuados, cargas y

sobreesfuerzos físicos que pueden estar presentes en las diversas actividades laborales, desde las más pesadas a las más sedentarias.

La existencia de estas cargas inadecuadas puede provocar lesiones y dolores en diferentes partes del cuerpo, que están en relación con las características de la actividad laboral que se desempeña. Así, será más frecuente que los trabajadores manuales desarrollen lesiones relacionadas
con la actividad del antebrazo y la mano (por ejemplo, síndrome de túnel
carpiano, epicondilitis, etcétera) o que los conductores y transportistas
desarrollen más frecuentemente lesiones de espalda (lumbalgia, hernias
discales, etcétera).

No existe ningún estudio que asocie la aparición de la fibromialgia con
una determinada profesión o las cargas asociadas a la misma.

Sin embargo, como comentaremos más adelante, las cargas físicas inadecuadas pueden producir un efecto negativo en la fibromialgia, ya sea
por la aparición de lesiones que agravan el dolor, la fatiga y la situación
clínica o por la presencia de una estimulación mecánica o física capaz de
empeorar a los pacientes con una enfermedad ya establecida.

**Ninguna profesión o actividad laboral se ha asociado al de-
sarrollo de padecer fibromialgia, aunque las cargas físicas
inadecuadas pueden producir un efecto negativo sobre la
enfermedad.**

Factores emocionales

Acontecimientos vitales estresantes graves

Cuando se analizan los resultados de los
estudios que evalúan el efecto de los acontecimientos traumáticos graves se concluye
que la exposición a un trauma psicológico
aumenta la posibilidad de sufrir una fibro-

mialgia, sin diferencias entre géneros o edad en la que se produjo el trauma y con un ligero incremento del riesgo en el caso de los abusos emocionales, físicos y sexuales. El riesgo sí que aumenta claramente si el trauma causó un trastorno por estrés postraumático (ansiedad, la sensación de revivir el trauma y la evitación de circunstancias similares a las vividas durante el acontecimiento traumático) o sucedió en situaciones de guerra.

No obstante, hay que tener en cuenta que muchos de los estudios que encuentran una relación entre los acontecimientos vitales traumáticos y una mayor probabilidad de padecer fibromialgia sufren varias limitaciones metodológicas. Así, los pocos estudios que evalúan la presencia de acontecimientos traumáticos antes de que se inicie la fibromialgia muestran una asociación muy modesta entre los traumas ocurridos en la infancia y el desarrollo de una fibromialgia, posteriormente.

Otros estudios de este tipo, como el realizado tras el atentado del 11 de septiembre de 2001 a las torres gemelas de Nueva York, observan que este no influyó en la intensidad del dolor o la calidad del sueño de los neoyorquinos con fibromialgia ni en las horas posteriores al atentado, ni durante las dos semanas posteriores ni en las visitas de control dos meses después.

Otro estudio reciente sobre la influencia del terremoto del 11 de marzo de 2011 en Japón, tampoco observa un empeoramiento de los síntomas de la fibromialgia a pesar de que durante el mes posterior al terremoto gran parte de la población experimentó un aumento temporal de la presencia de síntomas de estrés postraumático.

A pesar de que algunos estudios observan un mayor número de traumas psicológicos en las personas con fibromialgia, los datos actuales no permiten concluir que los acontecimientos traumáticos graves tengan un claro papel en el inicio, la gravedad o la manera de evolucionar de este síndrome.

Importancia del estrés sostenido

En cuanto al estrés sostenido como desencadenante del dolor crónico, varios estudios muestran que las personas sin dolor que se encuentran en contextos estresantes tienen aproximadamente el doble de riesgo de desarrollar un cuadro de dolor generalizado comparadas con las que no se deben manejar en este tipo de entornos.

En la Unidad de Fibromialgia del Hospital Clínico de Barcelona, el 66% de los casos evaluados hasta la fecha se inició en un contexto estresante médico, psicológico y/o social. En el 19% de los casos se identificaron estresores en dos áreas vitales diferentes y en el 4% en tres áreas vitales distintas.

Como puede ver en la figura 3.1, en el 30% de los casos los síntomas se iniciaron en el contexto de problemas familiares (especialmente defunciones y enfermedades graves), seguidos de un 23% de casos de estrés laboral y un 13% de problemas médicos (especialmente episodios de

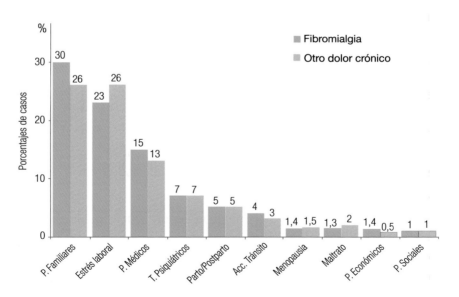

Figura. 3.1. *La fibromialgia, al igual que otros síndromes de dolor crónico, puede iniciarse o agravarse en el contexto de circunstancias vitales estresantes.*

dolor agudo que se convirtieron en crónicos). Sin embargo, comparados con un grupo de pacientes con otros síndromes de dolor crónico no se observaron diferencias en cuanto al número de personas en las que el dolor crónico se inicia en el contexto de un estrés sostenido ni en el tipo de acontecimientos estresantes.

Es frecuente que los cuadros de dolor crónico se inicien en el contexto de circunstancias vitales estresantes, pero este hallazgo no es específico de la fibromialgia sino común a los trastornos por dolor crónico.

Factores que agravan los síntomas o impiden que la fibromialgia mejore

Las personas con fibromialgia refieren que su dolor y otros síntomas se agravan especialmente en dos situaciones: cuando realizan un esfuerzo o una carga física y cuando tienen una activación emocional.

¿Empeora la fibromialgia el estrés?

El estrés ha sido propuesto como factor agravante y de mantenimiento de los síndromes dolorosos. La experimentación con animales, por ejemplo, observa que la activación de los sistemas hormonales y nerviosos que se produce en las situaciones de estrés es capaz de causar una alteración intracelular estable que contribuiría al mantenimiento de la amplificación de las respuestas dolorosas.

En general, parece que las personas con fibromialgia acusan más los momentos de estrés. En concreto, cuando se enfrentan a circunstancias complicadas suelen responder con emociones negativas intensas y les es difícil mantener un tono emocional positivo. Estas intensas emociones negativas que se producen en respuesta al estrés pueden, a su vez, amplificar el dolor y la fatiga.

Sin embargo, hemos de tener en cuenta que el efecto de las emociones negativas en el dolor y la fatiga es común a todas las personas y no depende de sufrir o no una fibromialgia.

También hemos de subrayar que las personas con fibromialgia no son de por sí más propensas a las emociones negativas. Por consiguiente, podría ser que las dificultades para manejar el estrés no fueran necesariamente propias de la fibromialgia sino que aparecieran una vez desarrollada la enfermedad.

En resumen, sabemos que muchas personas con fibromialgia tienen problemas para manejar el estrés, pero todavía no sabemos si estas dificultades para controlar el estrés son previas o posteriores al desarrollo de la enfermedad.

¿Empeoran la fibromialgia las cargas físicas?

Los esfuerzos o cargas físicas inadecuadas empeoran los síntomas. También los empeoran las posturas inadecuadas, derivadas de una actividad sedentaria mantenida a lo largo del tiempo, sobre todo si se acompaña de asientos poco apropiados y zonas de trabajo mal diseñadas o adaptadas.

Las cargas de una actividad ejercida de manera predominante con una parte del cuerpo, manipulando cargas de forma incorrecta, realizando  movimientos repetitivos y/o movimientos forzados, movimientos manuales enérgicos y con poco control, uso de fuerza física, estar sometido a vibraciones mecánicas, entornos de trabajo fríos, etcétera, pueden provocar estimulaciones mecánicas sobre nuestro sistema nociceptivo que, aunque no sean de gran intensidad, sí que serán de alta frecuencia o mantenidas en largos periodos de tiempo, lo que producirá un agravamiento de los fenómenos de sensibilización, que los pacientes con fibromialgia tolerarán muy mal.

Tampoco debemos olvidar que estas cargas físicas pueden ser responsables a menudo de lesiones musculares, tendinosas, ligamentosas o articulares que agraven el dolor y la situación clínica de los pacientes.

Uno de los factores más frecuentes del empeoramiento del dolor y el cansancio en las personas con fibromialgia son las cargas físicas asociadas a movimientos y/o posiciones biomecánicas mal ejecutadas.

¿Cómo influye el patrón de actividad sostenida?

Como ya se ha mencionado, hay pruebas que sugieren que parte de la sintomatología observada en la fibromialgia se relaciona con la sensibilización central del sistema nociceptivo.

Uno de los posibles factores de mantenimiento o empeoramiento de la sensibilización del sistema nociceptivo es la actividad extenuante, es decir, la tendencia a mantener un esfuerzo durante un largo período de tiempo a pesar del dolor creciente.

El mantenimiento de un patrón de persistencia en la actividad puede producir:

- Una utilización excesiva del sistema muscular y esquelético más allá del punto de recuperación. Por ejemplo, mediante movimientos repetitivos mantenidos hasta no poder más.

- Una sobrecarga física, por ejemplo, mediante el mantenimiento de posiciones sostenidas hasta no poder más.

Ambos casos pueden contribuir al mantenimiento de la sensibilización central, al agravamiento de lesiones o a interferir con el proceso normal de recuperación de una lesión aguda.

En las personas con fibromialgia se ha observado que este patrón de comportamiento se caracteriza por la alternancia de períodos breves de actividad extenuante seguidos de períodos prolongados de inactividad. El mismo patrón se ha observado en otros trastornos por dolor y en el síndrome de fatiga crónica.

Cuando se modifica este comportamiento, el dolor y la fatiga se reducen. El tratamiento psicológico combinado con el médico es más efectivo que el tratamiento médico solo. Más aun, existe la posibilidad de que el tratamiento psicológico, que ha demostrado ser eficaz en las personas con un patrón de evitación de la actividad, pueda no ser eficaz en las personas con un patrón preferente de persistencia en la actividad.

Sin embargo, la modificación del patrón de actividad sostenida a pesar del dolor creciente tiene dos problemas:

a) Muchas veces se recomienda a las personas con fibromialgia ralentizar las actividades («ir más despacio»), hacer descansos, mantener un ritmo moderado («tomarse la vida con más calma»), o dividir las actividades en porciones manejables. Esto puede provocar que en algunos casos se entienda que lo recomendable es evitar completamente aquellas actividades que aumentan el dolor, cuando lo aconsejable es ajustar la dosis de actividad sin evitarla.

b) Las personas con fibromialgia son conscientes del efecto negativo que la persistencia en la actividad hasta la extenuación tiene sobre la intensidad del dolor y saben que es un factor de riesgo de recaída cuando el dolor ha mejorado un poco. Su entorno, especialmente el familiar, suele recordarles que se están excediendo con la actividad. Sin embargo, esta manera de hacer las cosas es muy resistente al cambio.

Un estudio ha evaluado las reglas de decisión que hacen que la persona decida mantener o detener la actividad. Este estudio observa que la persistencia en la actividad, a pesar del dolor creciente, es más característica de las actividades que tienen que ver con las obligaciones domésticas, familiares, sociales o laborales. En estos casos, la persona mantiene la actividad hasta que tiene la sensación de que el trabajo está suficientemente bien hecho o hasta que piensa que se ha esforzado lo suficiente. Es decir, mantener o detener la actividad depende de la satisfacción obtenida con el rendimiento de dicha actividad.

Si se es muy exigente con uno mismo, se tardará mucho tiempo en tener la sensación de haberse esforzado lo suficiente y de que la actividad está suficientemente bien hecha. Esto dificultará la interrupción de la actividad y propiciará el mantenimiento del patrón de persistencia excesiva y, por tanto, los episodios de aumento del dolor.

En cambio, las actividades gratificantes suelen detenerse (o evitarse) cuando la persona piensa que no está disfrutando de la actividad o cuando anticipa que esa actividad no le resultará satisfactoria. Normalmente, la causa de no disfrutar de la actividad lúdica es la presencia de dolor o la anticipación de que la actividad empeorará el dolor.

Como sin duda habrá adivinado, el resultado final es una vida repleta de obligaciones (que son las que hago independientemente de cómo me encuentre) y carente de gratificaciones (que aplazo porque no me encuentro muy bien o pienso que no me encontraré bien). Como resulta, además, que las actividades que se mantienen son las que aumentan el dolor, el día a día se convierte en un sinfín de experiencias negativas sin experiencias positivas que las compensen.

En resumen, las personas con un patrón preferente de actividad extenuante son capaces de «seguir adelante» en el trabajo, en las tareas domésticas o en las obligaciones familiares, pero por la noche y los fines de semana pasan la mayor parte de su tiempo descansando o durmiendo en un intento por recuperarse para seguir haciendo frente a sus obligaciones.

Este patrón puede ser muy frustrante ya que les hace perder la oportunidad de disfrutar de actividades placenteras, como ver a los amigos, salir a dar un paseo, hacer algo de ejercicio o practicar alguna de sus aficiones. No hace falta decir que ese tipo de vida tiene un relevante efecto negativo en la satisfacción vital y en el estado de ánimo.

Por supuesto, en ocasiones la persistencia en la actividad depende de circunstancias vitales exigentes o adversas, como no tener ayuda, tener un trabajo con mucha presión, carga física, etcétera. Sin embargo, en muchos otros casos es una combinación de circunstancias vitales exigentes y de exigencia autoimpuesta.

Un estudio realizado en la Unidad de Fibromialgia del Hospital Clínico de Barcelona observó que las personas con fibromialgia manifiestan que mantienen la actividad a pesar del dolor creciente por varios motivos:

- Para evitar tener la sensación de no haber hecho lo suficiente, para no sentirse inútiles y para no tener sentimientos de culpa.

- Para evitar consecuencias negativas a corto plazo (por ejemplo, no cumplir con las obligaciones) y a largo plazo (por ejemplo, el miedo a «ser vencido por el dolor», es decir, a estar cada vez más invalidado y ser cada vez menos capaz de hacer las cosas).

- Por no disponer de ayuda, no dejarse ayudar o no disponer de ayuda de calidad (por ejemplo, cuando se comparten las tareas domésticas, pero la persona anda revisando el trabajo del otro porque no lo hace a su gusto o le insiste para que lo haga inmediatamente o lo más rápido posible).

- Para evitar la desaprobación social como, por ejemplo, que los demás piensen que se aprovecha de la enfermedad para incumplir sus obligaciones.

Es razonable suponer que la modificación de estas razones nos permitirá ayudar a las personas con fibromialgia a cambiar con mayor facilidad el patrón de actividad extenuante y así reducir el dolor y la fatiga, y aumentar su capacidad funcional para conseguir sus objetivos vitales.

MANTENIMIENTO
DE LA SENSIBILIZACIÓN
CENTRAL

RECAÍDA DEL
DOLOR

EPISODIO DE DOLOR
INTENSO

IDEAS ERRÓNEAS O EXCESIVAS
SOBRE LA ACTIVIDAD Y LA
RESPONSABILIDAD

PERSISTENCIA EXCESIVA EN LA
ACTIVIDAD
• Movimientos repetitivos
• Posiciones sostenidas

Figura 3.2. *Uno de los factores que impiden que el dolor mejore es la persistencia excesiva en las actividades o en las posiciones sostenidas.*

¿Cómo influye la actividad inadecuada?

Las personas con fibromialgia experimentan diversas dificultades para realizar las actividades de la vida diaria. Tal y como se ha comentado anteriormente, en la fibromialgia intervienen tanto factores físicos como psicológicos que repercuten en el rendimiento funcional de cada persona. El dolor, la fatiga y los trastornos del sueño pueden afectar a la capacidad para llevar a cabo actividades domésticas relacionadas con el hogar y cuidado de la familia, actividades de ocio y actividades laborales. En consecuencia, es posible que la persona con fibromialgia no pueda mantener el ritmo o que tenga que modificar su papel en el trabajo.

El hecho de realizar un esfuerzo físico constante y extenuante en cualquier actividad o deporte, una postura incómoda, una sobrecarga, una tensión sostenida, y demás factores agravarán los síntomas de la fibromialgia.

Es importante pensar en cómo las actividades de la vida diaria, el trabajo y el ocio influyen sobre la fibromialgia. Hay que valorar, por tanto, las actividades físicas que mantienen o empeoran nuestro dolor y buscar soluciones para modificarlas. De ahí la enorme importancia de ajustar la actividad a las capacidades y circunstancias personales de cada uno.

Es necesario dividir las actividades en sus partes más importantes para poder saber cuáles son las dificultades específicas en cada persona. Por ejemplo, al poner una lavadora, dividir entre cargar la ropa, sacarla, tenderla, recogerla, doblarla y/o plancharla y saber en qué movimientos y actividades tenemos más dificultades para poder realizarlas.

Las actividades son muy variables y pueden incluir capacidades motoras, sensoriales, cognitivas, secuencias fijas o flexibles, actividades complejas, herramientas, materiales y condiciones ambientales variables según la persona y su entorno.

También se deben identificar movimientos, posiciones, factores de riesgo, precauciones que hay que tomar y analizar de manera detallada las limitaciones y el grado de tolerancia de cada persona.

Por todo ello, es recomendable consultar con un profesional en terapia ocupacional que ayude a llevar acabo los ajustes de adecuación. No es lo mismo reducir que adecuar.

Papel del catastrofismo y la evitación de la actividad

Las personas con fibromialgia suelen declarar que el ejercicio enérgico o los aumentos intensos de la actividad física suelen ir seguidos del agravamiento del dolor y la fatiga. Por tanto, es razonable que se desarrolle una cierta aprensión, y en ocasiones un miedo manifiesto, hacia la actividad física y que la eviten parcial o completamente.

El modelo de miedo-evitación se basa en trabajos previos que observaron que las creencias sobre el dolor tienen una notable influencia en el desarrollo del miedo y la evitación incapacitante. Varios autores agrupan estas creencias en lo que llaman «mitos sobre el dolor». La mayoría de estos mitos se refieren a dos creencias básicas erróneas que no solo son propias de las personas que sufren dolor agudo y crónico, sino que también son comunes entre las personas sanas y los profesionales sanitarios:

a) Que el dolor es una señal inequívoca de lesión que se acompaña siempre de una discapacidad inevitable.

b) Que ese dolor solo se puede tratar médicamente.

El modelo de miedo-evitación se aplica a la mayoría de los síndromes de dolor crónico.

Como se puede ver en la figura 3.3, este modelo parte de la experiencia de un episodio de dolor y el componente más importante es la presencia o no de catastrofismo, es decir, del grado de amenaza atribuido al dolor.

Como puede ver en la parte inferior de la figura 3.3, cuando el dolor es evaluado de manera no catastrofista y como un acontecimiento no amenazador (por ejemplo, como solamente una molestia temporal), no se acompaña de respuestas de ansiedad o miedo. En estos casos, la persona suele realizar un breve periodo de disminución de la actividad para, a continuación, retomar de manera progresiva tanto la actividad física como el resto de las actividades cotidianas.

Uno de los efectos positivos de recuperar progresivamente las actividades es que permite corregir las expectativas negativas erróneas sobre la evolución del dolor (por ejemplo, si no hago reposo absoluto el dolor empeorará) y la discapacidad (por ejemplo, no puedo volver a hacer ejercicio hasta que el dolor desaparezca por completo).

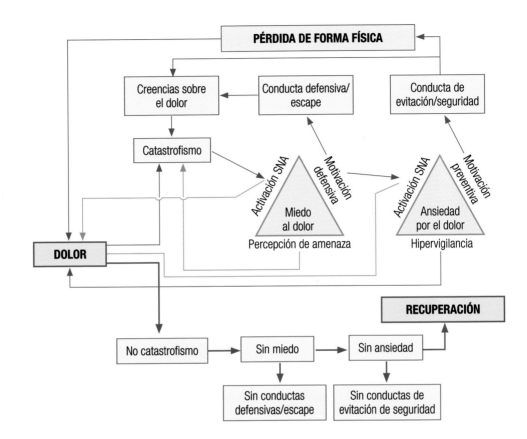

Figura 3.3. *Modelo miedo-evitación*

Como puede ver en la parte superior de la figura, 3.3 en otros casos la persona malinterpreta el dolor de manera catastrofista. Es decir, la persona piensa que el dolor es una señal inequívoca de sufrir una patología grave e incapacitante, que con toda seguridad empeorará con la actividad y sobre la que cree no tener ningún control.

Cuando la persona con dolor debe realizar una actividad, esta malinterpretación catastrófica del dolor puede provocar una respuesta de miedo (triángulo en el centro de la figura 3.3) que tiene varios efectos negativos:

a) Se acompaña de un incremento de la actividad del sistema nervioso autónomo (SNA) que a su vez puede aumentar el dolor.

b) La persona piensa que esa actividad puede agravar la lesión que causa el dolor y que la única manera de evitar que esto suceda es la inactividad. Es decir, aumenta la percepción de amenaza lo que, a su vez, refuerza las creencias que forman parte del catastrofismo (por ejemplo, que la actividad es perjudicial y que el reposo absoluto es una buena manera de manejar el dolor).

c) La persona inicia comportamientos destinados a evitar que suceda cualquiera de las desgracias que según el catastrofismo están a punto de ocurrir (por ejemplo, hacerme más daño). Es decir, aumenta la motivación defensiva.

El resultado final es que la persona pone en marcha estrategias como interrumpir la actividad (estrategias de escape) e inicia conductas de protección como tumbarse (estrategias defensivas).

Desafortunadamente, tanto la interrupción inmediata de la actividad como la utilización de conductas de protección impiden que la persona pueda comprobar que el dolor no se acompaña del empeoramiento de ninguna lesión ni es tan incapacitante como uno piensa. En resumidas cuentas, estas estrategias impiden modificar el catastrofismo que, por tanto, seguirá ejerciendo el mismo efecto negativo la próxima vez que la persona con dolor deba enfrentarse a una actividad.

Por otra parte, cuando la persona anticipa que deberá realizar una actividad (como ir al cine), la malinterpretación catastrófica del dolor puede provocar una respuesta de ansiedad (triángulo a la derecha de la figura) que comporta efectos negativos parecidos a los del miedo aunque con alguna peculiaridad:

a) También se acompaña de un incremento de la actividad del sistema nervioso autónomo (SNA) que, a su vez, puede aumentar el dolor.

b) A la persona le cuesta no estar pendiente del estado del dolor. Es decir, aumenta la vigilancia, lo que puede incrementar a su vez la percepción del dolor.

c) La persona inicia comportamientos destinados a evitar que sucedan alguna de las desgracias que el catastrofismo predice que sucederán si realiza la actividad (por ejemplo, que no lo podrá aguantar o que fastidiará a los demás). Es decir, aumenta la motivación preventiva.

En este caso, el resultado final suele ser que la persona rechace la actividad (por ejemplo, declinar ir a una fiesta de cumpleaños) o que la haga adoptando conductas de seguridad innecesarias (por ejemplo, tomarse un analgésico antes de ir a la fiesta de aniversario, aunque en este momento no lo necesite o limitar la actividad durante ese día para estar bien durante la fiesta). Es decir, la persona pone en marcha estrategias de evitación y de seguridad.

No hace falta decir que al evitar una actividad es imposible comprobar si ocurre alguna de las desgracias que predice el catastrofismo. Asimismo, al utilizar una conducta de seguridad es fácil atribuir la no ocurrencia de la desgracia a la conducta de seguridad (por ejemplo, «suerte que me tomé el analgésico antes de ir a la fiesta. Si no, seguro que no hubiera podido aguantar y hubiera fastidiado a todo el mundo».). En ambos casos, el resultado final vuelve a ser que el catastrofismo no se modifica y que seguirá ejerciendo sus efectos negativos la próxima vez que la persona piense en que tiene que hacer una actividad.

Además, tanto la interrupción de la actividad como su evitación se acompañan de un incremento desmesurado del tiempo en que uno está descansando, lo que suele acompañarse de una mala condición física que contribuye a aumentar el dolor y la fatiga.

Otra consecuencia del catastrofismo y la evitación de la actividad es que la persona con dolor puede acabar dedicando toda su vida al control del dolor. Es decir, no es infrecuente que las personas con dolor pospongan sus objetivos vitales hasta haber sido capaces de eliminar el dolor. Como sin duda habrá adivinado, esta actitud vital también disminuye la productividad y el número de experiencias positivas que vive la persona con dolor, a la vez que aumenta las ideas de inutilidad o de culpa.

Respecto a este modelo es fundamental que tenga en cuenta varias cuestiones importantes:

a) El catastrofismo es consecuencia de procesos automáticos de procesamiento de la información. Por consiguiente, culpar a las personas con fibromialgia de tener este tipo de pensamientos es injusto y, por supuesto, potencialmente perjudicial.

b) Este tipo de pensamientos no responde al razonamiento lógico. Por consiguiente, intentar convencer a la persona con fibromialgia de que sus pensamientos están infundados es una estrategia bien intencionada pero con muchas probabilidades de resultar inútil.

c) Finalmente, y como ya se explicó en apartados anteriores, en algunas enfermedades como la fibromialgia, la persistencia excesiva en la actividad aumenta el dolor y contribuye al mantenimiento de la sensibilización central. Es decir, afrontar de cualquier manera el miedo a las actividades puede provocar que, efectivamente, se produzcan las catástrofes que tanto teme la persona con dolor y, por tanto, puede resultar perjudicial.

El catastrofismo y la instauración de un patrón de comportamiento basado en la evitación de la actividad no contribuyen a mejorar a largo plazo el dolor, la fatiga y la capacidad funcional de las personas con fibromialgia.

No debemos olvidar otras lesiones corporales coincidentes

La presencia de lesiones crónicas de otro origen en diferentes partes corporales, como columna vertebral, articulaciones y tendones, a consecuencia de procesos degenerativos (artrosis) o inflamatorios (artritis, tendinitis), pueden generar un exceso de estímulos mecánicos o químicos (asociados a la inflamación existente) que provocan un agravamiento de los mecanismos de sensibilización en las personas con fibromialgia.

Es necesario tener en cuenta este hecho para tratar adecuadamente las enfermedades o alteraciones asociadas y contribuir a la mejora del dolor.

Frecuentemente se atribuye el dolor a la fibromialgia, despreciando la participación de otras alteraciones que pueden contribuir al dolor y al empeoramiento de la enfermedad.

4

El paciente con fibromialgia y su entorno familiar

 Las personas con fibromialgia tienen su calidad de vida afectada, especialmente en las áreas de función física, estado emocional y calidad del sueño, lo que puede influir sobre la capacidad para el trabajo y el mantenimiento de las funciones familiares y sociales.

El impacto de la fibromialgia sobre la familia y la relación con la pareja

La fibromialgia tiene una serie de características específicas que la definen. Como es conocido, afecta preferentemente a mujeres, en un intervalo de edad más prevalente entre 25 y 55 años, que coincide con el periodo de máximo crecimiento y creatividad en los ámbitos personal (altos niveles de actividad laboral, doméstica y social) y familiar (nacimiento y crianza de hijos, cuidado de los padres). Esta situación determinará la necesidad de un ajuste específico para estas épocas de la vida y podrá también tener consecuencias en todos los individuos de la familia, especialmente si no se produce una adaptación adecuada.

Una encuesta realizada en 6.126 pacientes adultos con esta enfermedad en Estados Unidos recogió que la mitad de los participantes atribuían a la fibromialgia un daño leve o moderado sobre la relación con su pareja y una pequeña parte de los pacientes también referían un impacto sobre la relación con los hijos y amigos íntimos.

Otro estudio realizado en nuestro país, el estudio EPIFFAC, corrobora estos datos constatando que un 59% de los pacientes declara tener muchas dificultades en la relación con su pareja, un 44% manifiesta depender bastante o totalmente de algún miembro de la familia para realizar las tareas domésticas y un 27% expresa que algún miembro de su familia ha tenido que cambiar parte de su actividad laboral habitual para adaptarse a las dificultades que presenta el paciente, lo que pone en evidencia el claro impacto de la enfermedad en las relaciones y roles familiares.

Cuando preguntamos a las parejas de los pacientes con fibromialgia, estas declaran una satisfacción conyugal inferior a la de las parejas de la población sana, y relacionan su peor satisfacción con los conflictos o repercusiones de la enfermedad en los ámbitos de las tareas domésticas, la sexualidad y el soporte social.

El papel de la incertidumbre

La fibromialgia es una entidad de carácter crónico y fluctuante de previsible larga duración. Sus primeras manifestaciones pueden aparecer de manera súbita o progresiva. Como hemos visto anteriormente, las mismas son múltiples y complejas, lo que puede dificultar un diagnóstico claro y concreto en estas personas, que suele producirse, desgraciadamente, con un retraso de varios años después de los primeros síntomas.

En el estudio EPIFFAC ya comentado, se ha observado que la media de retraso en el diagnóstico en nuestro país fue de 6,6 años, lo que implica vivir un periodo de incertidumbre y un consiguiente estrés personal y familiar particularmente largo.

No hace falta decir que el diagnóstico de una enfermedad crónica en un miembro de la familia es un acontecimiento de la mayor trascendencia en el seno de la misma. Cuando hay un diagnóstico concreto y un tratamiento específico, el paciente y su entorno se adaptan rápidamente a la situación y lo que esta conlleva (necesidad de cuidados, visitas médicas, tareas propias que deben ser asumidas por otros miembros de la familia, etcétera).

En el caso de la fibromialgia, la información que habitualmente recibe el paciente es que se trata de un proceso crónico, sin un tratamiento específico donde se hace muy difícil hablar de un pronóstico previsible y pocas veces se informa sobre cómo evolucionará. Todo ello genera más incertidumbre, que se vive en familia obligando a esta a adaptarse a la nueva situación por un periodo indeterminado, lo cual genera mayor estrés y desequilibrio.

Algunos estudios han puesto de manifiesto que la satisfacción de los pacientes con fibromialgia en la relación con sus parejas está condicionada por los niveles elevados de incertidumbre sobre la enfermedad y la influencia de la misma en la capacidad funcional, el dolor y el soporte familiar.

No me siento entendida ni comprendida

La invisibilidad del dolor en la fibromialgia, especialmente antes del diagnóstico, podría producir un mayor grado de desconcierto y malestar entre las parejas de los pacientes con fibromialgia que en aquellas de pacientes con dolor por otras enfermedades donde las deformidades o las alteraciones físicas pueden ser más visibles.

En el estudio EPIFFAC, recientemente publicado, que ha valorado el impacto de la fibromialgia en los pacientes y su entorno en nuestro país, se observa que el 69% de los pacientes manifiestan que sus parejas les ayudan y se sienten apoyadas por estas en la lucha contra la enfermedad. Sin embargo, un 45% de pacientes señala que sus parejas no entienden verdaderamente la enfermedad.

¿Una relación de pareja satisfactoria puede afectar a mi enfermedad?

Diversos estudios han observado que tener una pareja es saludable para los pacientes con dolor crónico, detectándose menores niveles de síntomas depresivos y un menor empeoramiento de la capacidad funcional a largo plazo, con respecto a aquellos pacientes que no la tienen. De todas formas, estas ventajas podrían estar limitadas a aquellos pacientes con una relación de pareja satisfactoria.

Los datos disponibles en algunos estudios de pacientes con dolor crónico informan de que los incrementos de la satisfacción obtenidos por el paciente con el apoyo de la pareja están relacionados con menores incrementos del dolor, menos efectos negativos y menores niveles de catastrofismo (evaluación negativa exagerada sobre la experiencia dolorosa).

La fibromialgia no es una excepción. En un estudio realizado recientemente se observa que en los días de más dolor, los pacientes satisfechos de la relación con su pareja tienen menos probabilidades de experimentar un empeoramiento de las dificultades, tener pensamientos catastróficos acerca del dolor, o sentimientos de que el dolor es difícil de manejar, cuando se compararon con los pacientes que estaban menos satisfechos de la relación con su pareja.

Estas observaciones sugieren que los beneficios que los pacientes experimentan gracias a la satisfacción con la relación se deben a la percepción del paciente de que el apoyo de su pareja responde a su necesidad, reforzando la capacidad para utilizar estrategias de afrontamiento y adaptación adecuadas y preservando sus afectos y emociones positivas durante los incrementos de dolor.

Algunas veces, la pareja refuerza, desafortunadamente, mayor discapacidad, dudas y evaluaciones negativas de la experiencia dolorosa, lo que supondrá un menor control del paciente sobre sus capacidades de afrontamiento y una peor evolución de su enfermedad.

El establecimiento de estrategias que lleven a tener una relación de satisfacción con la pareja será de gran utilidad para la mejora del tratamiento y control de la enfermedad.

¿Cómo pueden ayudar la familia y los amigos a la persona con fibromialgia?

Si usted es un familiar o un allegado de una persona con fibromialgia, su comprensión y apoyo pueden ser muy útiles para ayudarla a mejorar. Veamos a continuación algunos consejos que pueden serle útiles:

- Hable con la persona afectada de fibromialgia sobre cuál es, según ella, la mejor forma de ayudarla. Puede que le pida una implicación significativa en su tratamiento o, por el contrario, que prefiera manejarlo por ella misma.

- Dedique un tiempo a leer información útil y veraz para que pueda entender en qué consiste la fibromialgia y el tratamiento que se debe realizar. Además de acudir a Internet, no olvide consultar la información elaborada por los profesionales sanitarios que se dedican a investigar y tratar esta enfermedad.

- Felicite a su familiar o allegado por cualquier logro que consiga, ya que esto le ayudará a reconocer que está mejorando. Es posible que inicialmente los logros sean pequeños; por ejemplo, levantarse 15 minutos más temprano cada día, caminar 5 minutos dos veces al día, no dormir durante el día, leer el periódico 10 minutos al día, etcétera. Todos los logros, por pequeños que parezcan, son señales de mejoría.

- Apoye y aliente todos los esfuerzos que su familiar o allegado está haciendo en relación con su tratamiento. Con el tratamiento de esta enfermedad se obtienen beneficios significativos pero también se requiere una gran dedicación y esfuerzo por parte del paciente. Por lo tanto, cuanto más apoyo reciba la persona que lo está realizando, mejor.

- Puede que al iniciar el tratamiento, la persona con fibromialgia experimente un ligero aumento de los síntomas. Esto suele ser transitorio y se produce como resultado de cambiar los patrones de actividad y descanso. El aliento y el apoyo en esos momentos es imprescindible, ya que es normal que la persona con fibromialgia se vea tentada de reducir sus actividades en respuesta al incremento de los síntomas.

- Es importante hacer hincapié en que cualquier aumento de los síntomas es normal y es un efecto secundario temporal que se produce debido a que la persona está más activa. Se debe animar a la persona con fibromialgia a perseverar en el programa de tratamiento ya que si lo hace así, por lo general se observará una reducción gradual de los síntomas y un incremento de la capacidad para hacer las actividades con menos molestias.

- A veces, las personas con fibromialgia quieren hacer demasiado y recuperar el tiempo perdido. Esto suele ocurrir en los días «buenos» en los que se encuentran mejor. En estos momentos es fundamental que se las anime a seguir el tratamiento al pie de la letra, ya que hacer demasiado y no respetar los descansos planificados puede provocar un aumento de los síntomas, retrasar el progreso y conducir a una recaída.

- Si la persona con fibromialgia le pide que participe activamente en su programa de tratamiento puede ser útil que los dos establezcan un momento fijo cada semana para comentar qué tal lo están haciendo. Esto les servirá para no estar hablando continuamente de la enfermedad. También le dará la oportunidad de reforzar sus logros, darle ánimos cuando esté teniendo dificultades y discutir cualquier preocupación que tenga en relación con el programa de tratamiento como un problema que hay que resolver sin hacer recriminaciones, reproches o acusaciones.

- Tenga en cuenta que en cualquier momento puede surgir un contratiempo. Se trata de un «bache» en la fase de recuperación y, por supuesto, no significa que el tratamiento haya fracasado.  Los contratiempos son más probables en determinadas situaciones como, por ejemplo, si la persona con fibromialgia sufre otra enfermedad, si hay que hacer una mudanza, si fallece o enferma un ser querido o si de repente se acercan plazos ineludibles que cumplir. Estas situaciones «estresantes» pueden dar lugar a un aumento de los síntomas y dificultar el mantenimiento del programa de tratamiento.

En esos momentos es importante recordar a la persona con fibromialgia que los contratiempos son temporales. Anímela a volver lo más rápidamente posible al camino de la recuperación. Los contratiempos deben ser vistos como un desafío para superar y no como un desastre sin remedio. Cuando uno pincha una rueda, la cambia, sigue su camino, y no se sienta en el arcén y abandona el viaje.

- Mientras la persona con fibromialgia mantenga un buen equilibrio entre la actividad y el descanso lo más probable es que experimente una recuperación sostenida. Poco a poco será capaz de hacer cambios muy sustanciales en el estilo de vida como, por ejemplo, volver al trabajo, iniciar un curso de formación, recuperar actividades domésticas o retomar el contacto social. Intentar estos cambios es una señal inequívoca de mejoría pero, a la vez, la persona con fibromialgia puede tener miedo a recuperar alguna de esas actividades por miedo a sufrir una recaída. No hay duda de que en esos momentos su apoyo y comprensión serán muy apreciados.

- Si tienen alguna preocupación importante sobre el programa de tratamiento, pregunte si puede acompañar a la persona con fibromialgia a su cita con el médico o el terapeuta.

- Uno de los componentes del tratamiento de la fibromialgia consiste en aprender a identificar pensamientos negativos. Algunos ejemplos de este tipo de pensamientos son: «Nunca voy a mejorar», «debería ser capaz de hacer más», entre otros.

- Una vez que la persona es capaz de identificar los pensamientos negativos, podrá cuestionarlos y elaborar pensamientos alternativos más positivos y menos perjudiciales. Usted puede ayudar a la persona con fibromialgia señalándole que está diciendo algo negativo o perjudicial. A veces, cuestionar estos pensamientos negativos puede ser difícil, especialmente cuando la persona se siente con un estado de ánimo bajo. En estos momentos, usted puede ayudar a la persona con fibromialgia recordándole lo que ha conseguido hasta el momento, que con perseverancia puede superar la enfermedad, y que los pequeños logros paso a paso son la clave para el éxito.

- En algunas familias de las personas con fibromialgia es necesario hacer cambios en las obligaciones domésticas o en las actividades sociales. A veces, la fibromialgia puede afectar a la actividad laboral del enfermo o a la de otros miembros de la familia. Planifique estas adaptaciones con la persona con fibromialgia. Asegúrese de que estos cambios no comportan sentimientos de inutilidad o de

culpa. Plantéenlo como un cambio enfocado a facilitar la recuperación de la enfermedad, que puede revertirse si es necesario una
vez se haya alcanzado una mejoría significativa.

- A veces la fibromialgia afecta a la calidad de las relaciones sexuales. Debe recordar que los estudios científicos observan que en la
fibromialgia, exactamente igual que en las parejas sanas, la satisfacción con la relación conyugal es el principal determinante del
buen funcionamiento sexual. Por consiguiente, es necesario buscar y poner en práctica estrategias que disminuyan las dificultades
en las relaciones sexuales, pero siempre en el contexto de una relación de pareja satisfactoria.

- Por último, tenga en cuenta que el
exceso de ayuda a la persona enferma de fibromialgia también puede
ser perjudicial. Las conductas de so-
breprotección como, por ejemplo, no
dejar que la persona con fibromialgia
haga ninguna tarea o no permitirle
aumentar gradualmente el número y
duración de las actividades que hace,
incrementan la sensación de discapacidad, entorpecen la recuperación de
estilos de vida más saludables y reducen la confianza en la propia capacidad para alcanzar una vida más satisfactoria y autónoma.

- Dedicar todos los esfuerzos a combatir la enfermedad también
puede provocar que se dejen de lado otros valores importantes
como las relaciones conyugales, familiares o sociales.

Puede que de vez en cuando la persona con fibromialgia se be-
neficie de tener a su lado a alguien que le recuerde que dedicarse
exclusivamente a luchar contra la enfermedad puede estar dañan-
do otras áreas vitales igualmente importantes.

¿Qué puede hacer la persona con fibromialgia para mejorar la relación con su pareja, familia o amigos?

La persona con fibromialgia también puede contribuir a mejorar la relación con sus personas cercanas, resolver problemas de manera constructiva y conseguir ayuda sin recriminaciones ni sentimientos de culpa. Antes de nada, debe tener en cuenta que, como cualquier otra habilidad, la capacidad de relacionarse con los demás puede aprenderse. No es cierto que esta capacidad sea una característica de personalidad inmodificable.

La capacidad de relacionarse con los demás permite transmitirles nuestras opiniones, intenciones, sentimientos y necesidades. Una capacidad de comunicación efectiva nos permitirá alcanzar cuatro objetivos:

1. Conseguir aquello que nos proponemos. Es decir, ser eficaces.

2. No sentirnos incómodos al hacerlo.

3. Reducir al máximo las consecuencias negativas para uno mismo, para el otro y para la relación en situaciones de discrepancia o de conflicto de intereses como, por ejemplo, cuando debemos decir «no».

4. Establecer relaciones positivas con los demás aceptando su ayuda, apoyo, comprensión o elogios.

Para alcanzar estos objetivos se deben aprender dos tipos de habilidades:

1. *Las habilidades de oposición*, que son las que se aplican a situaciones que requieren manejar conductas poco razonables de los demás, por ejemplo, pedirle al otro un cambio de comportamiento o negarse a una petición.

2. *Las habilidades de aceptación*, que son las que se aplican para dar y recibir reconocimiento y cumplidos cuando, por ejemplo, los demás nos ayudan o cambian un comportamiento que nos resultaba molesto.

Reconocer y agradecer a los demás un comportamiento positivo refuerza las relaciones y aumenta la probabilidad de que la otra persona repita ese comportamiento positivo en un futuro. Por ejemplo, agradecer a su hijo que no deje los calcetines en cualquier sitio aumenta la probabilidad de que su hijo repita el comportamiento de dejar la ropa sucia donde corresponde.

Existen dos maneras de relacionarse con los demás que suelen causar más problemas que beneficios, el estilo pasivo y el estilo agresivo.

El estilo pasivo de relación social: no decir las cosas

El estilo pasivo de relación social es aquel en el que la persona no actúa para evitarse supuestas consecuencias negativas o para no molestar a los demás. En estos casos la persona no expresa sus opiniones, deseos o necesidades y, por tanto, las opiniones y deseos de los demás prevalecen sobre los propios.

Como sin duda imaginará, el estilo pasivo de relación social se acompaña de una considerable frustración, pero también aumenta la sensación de no tener derecho a lo mismo que los otros y el miedo a no ser aceptado por los demás. Muchas veces en que uno se siente disconforme con el trato recibido debería preguntarse: «¿Se lo he dicho?».

El estilo agresivo de relación social: decir las cosas mal

El estilo agresivo de relación social permite conseguir los objetivos que uno se propone, pero a base de provocar en el otro una conducta de sumisión (el otro accede por miedo a que uno se enfade). El precio que se paga por ello suele ser alto, ya que este estilo agresivo suele generar nuevos conflictos con la persona agredida y falta de confianza (la persona no se atreve a expresarse libremente por temor a ser agredida).

Muchas veces en que uno se siente incomprendido, deja de recibir ayuda o percibe un distanciamiento de los demás debería preguntarse: «¿Se lo he dicho bien?».

El estilo asertivo de relación social: decir las cosas y decirlas bien

 El estilo asertivo de relación social permite comunicar tranquila y eficazmente cuál es nuestra propia postura y ofrece información sobre cómo nos gustaría que el otro actuase en un futuro. Permite conseguir los propios objetivos respetando los derechos de los demás.

Tenga en cuenta que este estilo de relación social no garantiza obtener de los demás todo lo que a uno le gustaría (no se puede obligar a nadie a comportarse como a nosotros nos gustaría), pero al menos permite que los otros sepan cuáles son nuestras necesidades, sentimientos u opiniones.

¿Cómo es el estilo asertivo de relación social?

Los componentes no verbales del estilo asertivo de relación social incluyen:

- Contacto visual adecuado: mire al otro mientras se habla del asunto, pero recuerde que una mirada excesivamente fija puede percibirse como hostil.
- Mantenga un tono de voz firme y convincente, nunca hostil, y un ritmo tranquilo; no se acelere.
- Evite gestos intimidatorios, como señalar con el dedo.
- Deje hablar al otro y escúchele con atención.

Los componentes verbales del estilo asertivo de relación social incluyen:

- Utilice siempre la primera persona: «Me siento...», «Me parece...», «Me gustaría...», «Creo que...».
- Comprenda la postura del otro. Comprender al otro no significa necesariamente estar de acuerdo. Haga un esfuerzo para enten-

der los motivos o la visión del otro y dígaselo. Si es necesario, pídale que aclare su postura para entenderlo mejor.

- Exponga el problema de forma clara y concreta. Céntrese en un solo problema cada vez. No aproveche la situación para rescatar una lista de recriminaciones históricas que nada tienen que ver con el problema actual.

- Si no está de acuerdo con algo utilice preferentemente frases breves como «no estoy de acuerdo con...».

- Proponga soluciones alternativas al problema en cuestión.

Uno de los ejemplos más típicos del estilo asertivo de relación social es pedirle al otro que cambie un comportamiento que nos molesta. Hacerlo bien convierte una simple queja en una respuesta de oposición asertiva. Además, le proporciona a la otra persona información muy valiosa sobre cómo se espera que se comporte en un futuro. No olvide que el otro no tiene por qué saber de antemano qué piensa o qué necesita usted.

Solicitar el cambio de una conducta molesta

- Recuerde que la otra persona tiene el derecho a decidir si quiere o no quiere cambiar su comportamiento.

- Piense qué dirá y cómo. Normalmente una petición de este tipo no es imprescindible hacerla justo en el momento en que se produce. Suele ser preferible esperar a que todo el mundo esté más tranquilo.

- Escoja el momento y el lugar adecuados. Es preferible hacerlo en un momento en el que no haya otras cosas que les distraigan. Intente evitar la presencia de otras personas que pudieran tomar partido a favor o en contra. Si anticipa una respuesta agresiva por parte del otro quizá sea mejor hablarlo en un lugar público.

- Describa la conducta molesta. Explique clara y específicamente el comportamiento que le resulta molesto (por ejemplo, «me gustaría hablar contigo sobre lo callado que te veo últimamente, ¿tienes un momento?»).

- Evite utilizar descalificaciones personales y no atribuya malas intenciones al otro (por ejemplo, «eres demasiado hermético», «lo que pretendes es excluirme de tu vida»...). Esto solo crea malestar e incita al otro a defenderse mediante acusaciones, justificaciones y, finalmente, negándose a cambiar.

- Exprese cómo se siente o cómo le afecta la conducta molesta (por ejemplo, cuando te veo tan callado me siento…).

1. Dígale a la otra persona que comprende su comportamiento. A pesar de no estar de acuerdo con el comportamiento de la otra persona, es necesario comunicarle que entiende su punto de vista. Así conseguirá que esté más dispuesta a escucharle y a valorar un posible cambio. Por ejemplo, «sé que últimamente tienes mucho trabajo, estás cansado y las cosas no van muy bien entre nosotros».

2. Especifique qué cambio de comportamiento le gustaría. Sea claro y directo, evite frases demasiado generales, abstractas o que puedan dar lugar a confusión como, por ejemplo, «me gustaría que nos comunicáramos mejor». En su lugar es mejor decir algo como: «me gustaría que durante la cena pudiéramos apagar la tele un rato y explicarnos qué tal nos ha ido el día». Debe estar abierto a la negociación, ya que es posible que la otra persona pida alguna cosa a cambio. A veces es más importante crear un clima de entendimiento que obtener todo cuanto se deseaba.

3. Exponga las razones por las que desea un cambio de comportamiento. Explique las ventajas que podrían obtenerse si la otra persona cambiara su conducta. Lógicamente, las ventajas deben referirse a ambos interlocutores. Tenga en cuenta que todo cambio de comportamiento significa un esfuerzo de adaptación y abandonar viejos hábitos para adquirir otros nuevos. Por ejemplo, «así tendríamos más tiempo para hacer…», o «de esta manera yo me sentiría mejor y todo podría ir mejor entre nosotros».

4. Explique a la otra persona las posibles consecuencias negativas que podrían ocurrir si no aceptara cambiar su comportamiento. Esta opción solo debe utilizarse en caso de que la otra persona se niegue completamente a modificar su conducta y nunca en tono de amenaza. Sea realista al explicar las consecuencias negativas, es decir, vigile que se ajusten a la realidad y no se marque faroles. Por ejemplo, es poco realista decir «vale, pues entonces la nevera estará vacía hasta que vayas a comprar».

La sexualidad en las personas con fibromialgia

La sexualidad humana se considera un aspecto importante de la salud y de la calidad de vida. En algunas encuestas los datos indican que más del 90% de los hombres casados y más del 80% de las mujeres casadas evaluaban como importante tener una vida sexual satisfactoria.

Sin embargo, diferentes encuestas de población indican que algún tipo de disfunción sexual es muy prevalente en la población general. Se ha detectado que hasta un 40% de las mujeres y un 30% de los hombres presentan algún tipo de disfunción sexual. Las más frecuentes son la eyaculación precoz y la disfunción eréctil en los hombres (14 y 10% respectivamente), y entre las mujeres, la falta de interés sexual, las dificultades de lubricación o la incapacidad para alcanzar el orgasmo (21, 16% y 16 respectivamente).

Un estado de salud físico y psicológico óptimo favorece el desarrollo de las relaciones sexuales en toda su dimensión, que son más activas en las épocas de la vida dedicadas a la procreación y disminuyen posteriormente con la edad.

Los diferentes estilos de vida que pueden propiciar el estrés, los diversos cambios evolutivos en mujeres y hombres y la presencia de enfermedades crónicas que impliquen un déficit en las condiciones físicas y psicológicas afectarán a las diversas fases de la respuesta sexual. También la toma de medicamentos puede favorecer las malas respuestas sexuales, aunque en muchos casos son difíciles de diferenciar del propio efecto de la enfermedad.

Entre los medicamentos que se han relacionado con la reducción del apetito sexual o con algún efecto en la respuesta sexual, destacan los siguientes:

- Psicofármacos (antipsicóticos, antidepresivos, ansiolíticos).
- Hipolipemiantes para el tratamiento de las hiperlipemias.
- Betabloqueantes, como el propanolol, utilizados para la hipertensión, taquicardia o temblor.
- Algunas preparaciones hormonales como el danazol o los antiandrógenos.
- Tamoxifeno.
- Antihistamínicos H1 utilizados para la alergia.
- Anti-H2, como ranitidina utilizados para problemas digestivos.
- Algunos antifúngicos, como el ketoconazol.
- Algunos quimioterápicos utilizados para el tratamiento del cáncer.

Como se comenta en la tesis doctoral realizada por Fernando Rico (Universidad de Granada, 2014) sobre sexualidad y fibromialgia, los diversos estudios realizados en las personas que presentan esta enfermedad recogen una disfunción sexual en una gran parte de los pacientes, que varía entre el 54% y 84% de los casos, según la muestra estudiada y el instrumento de medición empleado. En todo caso es más del doble o triple de lo que indican los estudios realizados en personas sin fibromialgia de la misma edad y sexo.

¿Cómo afecta la fibromialgia al ciclo de la respuesta sexual?

El ciclo de la respuesta sexual se refiere a la secuencia de cambios físicos y emocionales que la persona experimenta cuando participa en actividades sexualmente estimulantes. Los cuatro estadios del ciclo de la respuesta sexual son el deseo, la excitación, el orgasmo y la resolución.

El deseo o el nivel de interés por mantener relaciones sexuales se caracteriza por las fantasías sexuales. Esta fase puede estar afectada de forma positiva o negativa por la actitud, la oportunidad o disponibilidad de pareja, el estado de ánimo y la salud física. No siempre es la primera fase; en ocasiones, y especialmente en la mujer, el deseo surge a medida que se produce la excitación.

La excitación, como su nombre indica es la fase de sensación de excitación, euforia y placer. Se acompaña de respuestas físicas en forma de vasoconstricción genital que da lugar a la erección en el hombre y al aumento de tamaño de la vulva y el clítoris y la lubricación vaginal en la mujer.

El orgasmo es el clímax de la respuesta sexual. El orgasmo se caracteriza por un pico en el placer sexual, liberación de la tensión sexual, contracciones rítmicas de los músculos perineales y cambios respiratorios y cardiovasculares. Las contracciones de los músculos perineales dan lugar a la eyaculación en los hombres.

La resolución, estado final en el que se produce una sensación de liberación de la tensión, bienestar y retorno del cuerpo a su estado de reposo.

Pues bien, en las personas con fibromialgia aunque el deseo es uno de los parámetros más afectados, pueden estar afectadas también todas las fases de la respuesta sexual. Diferentes estudios señalan que las mujeres con fibromialgia pueden tener significativamente menos deseo, menor excitación, más dolor durante el coito, menos orgasmos, menos actividad sexual y menos satisfactoria que aquellas personas sin la enfermedad.

Será necesario conocer los factores principales que influyen en las diferentes fases de la respuesta sexual y la satisfacción con la misma en las personas con fibromialgia, para poder mejorar las respuestas. Entre estos, podrían encontrarse:

Imagen corporal

La percepción de la imagen corporal es un fenómeno complejo, relacionado con las memorias o creencias pero donde son cruciales los diferentes estímulos corporales (táctiles, propioceptivos y visuales) que se reciben para elaborar la imagen corporal.

Aunque los estudios realizados en personas con fibromialgia son escasos y con muestras de pequeño tamaño, se ha observado en algunos de ellos que la imagen corporal es autopercibida de forma peor en las personas con fibromialgia que en las personas sanas. Es interesante observar que la intensidad del dolor, el sobrepeso y el estado de ánimo podrían ser factores influyentes en este empeoramiento.

Comprender este hecho y realizar acciones para sentirse atractiva/o, es un primer paso para prepararse y preparar a nuestra pareja en el complejo fenómeno de la seducción,

Relación con la pareja

La relación con la pareja puede influir en las respuestas sexuales. Entre las mujeres con fibromialgia, se ha observado que la insatisfacción en la relación y convivencia con su pareja es el hecho que más frecuentemente puede predecir un funcionamiento sexual problemático. Este hecho, que posiblemente no sea distinto en las personas sin fibromialgia, refuerza el concepto de que un buen funcionamiento sexual depende de una relación satisfactoria con la pareja.

Estado emocional

Los aspectos emocionales son relevantes en la conducta sexual. Se ha observado en algunos estudios de mujeres con fibromialgia, tanto premenopáusicas como posmenopáusicas, y que además presentan una alteración significativa de su estado emocional, unas puntuaciones peores en el Índice de Satisfacción Sexual e Índice de Función Sexual, que aquellas pacientes con fibromialgia que no presentaban dichas alteraciones. Sin embargo, no todos los estudios son concluyentes, especialmente en hombres, donde no se observa una clara relación con el estado psico-patológico.

Lubrificación

 Los niveles de lubrificación durante la fase de excitación, generalmente disminuidos con la edad, especialmente en mujeres posmenopáusicas, también son menores en las pacientes con dolor crónico y en personas con fibromialgia, aunque no hay estudios suficientes que determinen el grado exacto de disfunción de la mucosa vaginal.

La percepción de sequedad puede dificultar el acoplamiento en la relación coital y entorpecer el desarrollo de las fases. Es conveniente la utilización de una adecuada lubricación vaginal y del pene para ayudar a mejorar la fricción producida durante el coito.

Dolor corporal

La presencia de dolor corporal en las diferentes posiciones adoptadas, y en ocasiones de dolor vaginal, en las personas con fibromialgia, son una dificultad añadida que repercute directamente sobre las fases de excitación y deseo en la mujer con fibromialgia.

Factores como aguantar el peso corporal de la pareja, controlar o aguantar los enérgicos movimientos pélvicos o mantener posturas estáticas puede generar posiciones y movimientos dolorosos. Disponer de esta información y dirigir con tu pareja la fuerza de la excitación hacia una relación armónica que incluya posiciones cómodas y cambiantes puede prevenir el dolor.

Véase a continuación varios ejemplos de las posturas más cómodas:

Dolor vaginal

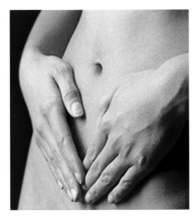

El dolor vaginal durante el coito es una de las variables que pueden entorpecer el desarrollo de las fases en la respuesta sexual, tanto para la persona afectada como para la pareja. No se debe realizar el coito con dolor. La preparación necesaria de las condiciones de la relación, desde el entendimiento, la necesaria lubricación, conseguir un grado de excitación aceptable y tener un buen acondicionamiento postural será imprescindible para la realización del coito.

Algunas mujeres se pueden beneficiar de la realización de unos ejercicios físicos centrados en el suelo pélvico para mejorar el acondicionamiento físico.

Los ejercicios de Kegel pueden ayudar a tonificar y fortalecer los músculos pélvicos. Se basan en contraer y relajar el músculo pubococcígeo o PC (también conocido como músculo del suelo pélvico) en repetidas ocasiones, con el objetivo de incrementar su fuerza y resistencia.

En primer lugar, se deben identificar correctamente los músculos que necesitan ejercitarse. Para ello, se puede probar, en el momento de orinar, detener un momento el «chorro» (contracción de los músculos). Entonces, se sigue orinando (relajación) y se vuelve a detener (contracción). Esto solo se hace la primera vez para saber qué ejercicio debe hacerse. Posteriormente, el ejercicio se debe realizar sin la acción de orinar, ya que sería contraproducente realizarlo durante esta acción de forma habitual.

Además, estos ejercicios se pueden efectuar en cualquier momento, tanto sentada o acostada, con la ropa habitual, y como no implican movilidad corporal, se pueden realizar en diferentes situaciones cotidianas. De hecho, se puede mejorar el hábito de realización de los ejercicios asociándolos a alguna de las actividades de la vida diaria, como lavarse los dientes, ver la televisión, sentada en la oficina, sentada en el autobús, contestando al teléfono, etcétera), sin que necesariamente los demás se den cuenta.

De todas formas, se recomienda realizarlos de forma diaria, en tres ocasiones y durante 5 minutos. Inicialmente es recomendable pedir ayuda, y el médico, enfermera o fisioterapeuta le ayudarán a asegurarse de que está haciendo los ejercicios adecuadamente.

El mejor momento para tener una relación sexual...

- Cuando estemos en disposición de pasar un buen rato con nuestra pareja

- Cuando no forcemos la situación

- Cuando la percepción del dolor sea menor

- Recuerde que no es imprescindible que el dolor desaparezca antes de intentar recuperar unas relaciones sexuales satisfactorias

- La prioridad es como nos sentimos y donde queremos llegar

5

El tratamiento de la fibromialgia

El tratamiento farmacológico

En muchos casos, el paciente con fibromialgia es diagnosticado años después de tener síntomas que no han sido bien aclarados y de haber sido sometido a diversos procedimientos terapéuticos sintomáticos (analgésicos, antiinflamatorios, antidepresivos, relajantes musculares o sedantes) que no le han mejorado ni le han hecho desaparecer el dolor, lo que puede producir un sentimiento de desesperanza y pensamientos sobre la inutilidad del tratamiento farmacológico en esta enfermedad.

 El conocimiento de los mecanismos de producción del dolor y otros síntomas que hemos ido adquiriendo en los últimos años nos ha ayudado a utilizar y buscar medicamentos que sean capaces de modular y mejorar la enfermedad. Si examinamos las diferentes revisiones sistemáticas de la literatura realizadas en los últimos años, podemos observar que algunos fármacos o medicamentos son útiles para el tratamiento de muchos pacientes con fibromialgia apoyándose en ensayos clínicos de calidad.

Actualmente, podemos afirmar que el tratamiento farmacológico es uno de los tres pilares básicos del tratamiento de la fibromialgia junto al ejercicio físico y la terapia cognitivo-conductual.

Sin embargo, es frecuente que los pacientes que sufren de fibromialgia se hagan una serie de preguntas:

¿Es necesario que tome medicación para mi enfermedad?

No disponemos en la actualidad de un medicamento que erradique la enfermedad definitivamente. La meta del tratamiento es mejorar el control de los síntomas, reduciendo su intensidad, lo que ayudará al mantenimiento o mejora de la capacidad funcional y de la calidad de vida.

Si la intensidad del dolor y otros síntomas es baja, podría ser suficiente con las medidas no farmacológicas, como el ejercicio físico y la adecuación a la actividad. En general, se debe proponer medicación si la intensidad de los síntomas es moderada-alta.

Hemos de resaltar que en muchos pacientes con fibromialgia la tendencia es a aguantar lo máximo posible el dolor, probablemente inducidos por cuestiones culturales y por un patrón basado en ocasiones en la autoexigencia. No es recomendable utilizar la resistencia al dolor como método de tratamiento, ya que el sobresfuerzo se paga con más dolor y especialmente con un cansancio excesivo.

¿Qué medicación ha demostrado ser útil en la fibromialgia? ¿Me irá bien la medicación?

Muchos de los fármacos que se han utilizado y son usados por muchos médicos en el tratamiento de la fibromialgia no han demostrado eficacia. En muchos pacientes se utilizan fármacos antiinflamatorios, antidepresivos, sedantes, ansiolíticos, sin ninguna eficacia demostrada sobre los síntomas principales de la enfermedad.

Los fármacos que han demostrado su utilidad en los ensayos clínicos de calidad realizados pertenecen al grupo de los llamados *neuromoduladores,* utilizados en el tratamiento del dolor neuropático. No son específicos para la fibromialgia, pero actúan sobre los mecanismos de producción del dolor y del resto de síntomas (fatiga, sueño, estado de ánimo…) que la acompañan y que son comunes entre los pacientes con fibromialgia y otros pacientes con neuropatías dolorosas, dada su capacidad de regulación sobre el sistema nociceptivo.

Actualmente disponemos de dos vías farmacológicas principales que se caracterizan por su forma de actuar:

1. Disminuyendo los mecanismos de transmisión del dolor que están muy elevados en la fibromialgia, cuyo medicamento principal es pregabalina.

2. Aumentando los mecanismos propios de control e inhibición del dolor, que están agotados en los pacientes con fibromialgia, con fármacos como duloxetina, amitriptilina y minalcipram. Estos fármacos también pueden tener un efecto antidepresivo, pero su efecto en los mecanismos del dolor, la fatiga o el insomnio en la fibromialgia no están relacionados con dicho efecto, ya que benefician a las personas con fibromialgia independientemente de que estén o no deprimidas. Muchos de los antidepresivos habituales que se utilizan en las personas deprimidas (citalopram, paroxetina, sertralina, etcétera) no han demostrado ser eficaces en las personas con fibromialgia.

Los medicamentos útiles para la fibromialgia mejoran no solo el dolor sino también los síntomas asociados, como la fatiga, el sueño, el estado de ánimo, la capacidad funcional y la calidad de vida. Desafortunadamente, este efecto no se produce en todas las personas con fibromialgia sino que es variable en cada paciente. En términos generales, se considera que hay pacientes respondedores, con mejoras parciales (superiores a un 30%) y significativas (superiores a un 50%) y no respondedores (mejoras inferiores a un 30%). Es imprescindible conocer bien este hecho para planificar correctamente el tratamiento y obtener el máximo beneficio.

¿Cómo se planifica el tratamiento farmacológico?

La primera fase de la planificación es la fase de test o de comprobación. Su objetivo es conocer si el paciente es respondedor o no respondedor a una u otra vía de tratamiento. Esta fase tendrá en general una duración de 4 a 6 semanas por fármaco utilizado.

Si su médico decide iniciar el tratamiento con pregabalina, la dosificación del medicamento se realiza de forma progresiva, ajustando las dosis semanalmente y llegando hasta 300 miligramos/día al cabo de 4 semanas. Se valora la respuesta a la 5ª semana y el médico comprueba si el paciente es respondedor o no respondedor y si hay una buena tolerabilidad al fármaco.

Si el paciente es respondedor (mejora superior al 30-50%, como mínimo, en la escala de dolor) se ajusta la dosis a 450 miligramos/día, en las siguientes dos semanas, estabilizando dosis a la 6ª semana. Si no es respondedor (mejora inferior al 30%, como mínimo, en la escala de dolor) se debe retirar el fármaco. En ocasiones, observamos que muchos pacientes no respondedores van tomando dosis bajas durante largo tiempo, sin conocer bien el motivo.

Si su médico decide iniciar el tratamiento con amitriptilina, duloxetina o minalcipram, se irá dosificando progresivamente la medicación a lo largo de dos semanas hasta llegar a 25-50 miligramos/día, 60 miligramos/día o 100 miligramos/día, respectivamente, para cada fármaco, valorando la respuesta a la 4ª semana. Posteriormente, se comprueba el estatus de respondedor y el grado y se actúa igual que en la vía anterior.

En los respondedores parciales (entre un 30 y 50% de mejora) se pueden combinar ambas vías de tratamiento, aunque todavía son escasos los estudios que han comprobado si la combinación es más efectiva.

¿Puedo tener efectos secundarios intolerables o graves al tomar estos medicamentos?

Los medicamentos utilizados para el tratamiento de la fibromialgia suelen tener pocos efectos adversos considerados graves si se utilizan a las dosis y pautas recomendadas. Sin embargo, es relativamente frecuente que los pacientes noten efectos secundarios como sensación de mareo, torpeza mental, cefalea, náuseas, etcétera, que se deben conocer y que a veces pueden no tolerarse.

Estos efectos se suelen dar al inicio de la medicación o durante la fase de ajuste de la dosificación en más de una tercera parte de los pacientes, pero suelen ir disminuyendo en muchos casos al continuar la toma o retrasar temporalmente la dosificación. La retirada completa del medicamento en los diferentes ensayos clínicos por intolerabilidad suele ser inferior al 15%.

Sin embargo, es frecuente observar en la práctica clínica diaria un abandono de la medicación atribuido a la intolerabilidad por efectos adversos muy superior, lo que puede deberse a que los pacientes no han sido bien informados, a que no se ha realizado la dosificación y control de la titulación adecuadamente o a que no se han tenido en cuenta los síntomas de la propia enfermedad y otras medicaciones concomitantes, situaciones todas ellas que contribuyen a veces a despreciar un fármaco con posibles beneficios.

¿Cómo puedo saber que el medicamento que me han recetado me va bien?

El paciente debe saber que el efecto beneficioso del tratamiento de la fibromialgia no es de «todo o nada». Es conveniente valorar de forma exhaustiva el grado de respuesta, tener en cuenta que la mejora de los síntomas no es inmediata y que, en términos generales, suelen mejorar primero unos síntomas y después otros a lo largo de las primeras seis semanas. En general, suele mejorar primero y de una forma progresiva el descanso nocturno, después el dolor y mucho más tarde la fatiga.

También hemos de informar que la mejora a lo largo del tiempo se suele producir con «dos pasos hacia delante y uno hacia atrás», lo cual no debe confundir al paciente y pensar en un fracaso del tratamiento cuando haya empeorado un poco, sino que debe confiar y valorar finalmente cual es la progresión general. Como hemos explicado previamente con el concepto de respondedor, el doctor utilizará unas escalas de valoración más precisas para evaluar las mejoras.

Algunos pacientes que han respondido a un medicamento pueden verse sometidos a una pérdida de eficacia del medicamento a largo plazo. En los estudios de seguimiento se observa que hasta un 30% de los pacientes respondedores pueden perder el efecto durante el primer año de tratamiento. Esta situación debe plantear un ajuste en las vías de tratamiento farmacológico o no farmacológico, antes que mantener un medicamento por el mero hecho de pensar que «algo me hará o no sé qué pasaría si no lo tomara».

¿Es posible que necesite más de un medicamento?

Como hemos comentado con relación a los pacientes que han respondido parcialmente a la medicación, es posible que necesiten frecuentemente la ayuda de un analgésico complementario. En este sentido, se utilizan habitualmente dosis moderadas de tramadol con paracetamol, que han mostrado su utilidad en algunos ensayos clínicos. Por otra parte, en ciertos periodos en los que alguno de los síntomas no se acaba de controlar con la medicación, o especialmente en los periodos de inicio de la misma, se pueden utilizar algunos fármacos complementarios para mejorar el sueño (melatonina, zopiclona o zolpidem…), la taquicardia o las palpitaciones (propanolol…).

Aparte de la fibromialgia, también es necesario identificar y tratar cualquier otro proceso que pueda generar dolor u otros síntomas de forma concomitante. Es frecuente que los pacientes expliquen que no han sido tratados por problemas concomitantes o locoregionales, por el mero hecho de atribuirse todo el dolor a la propia fibromialgia, lo cual no es óbice para que esta pueda tener un efecto negativo sobre el problema concomitante.

¿Cómo debo tomar la medicación? ¿Durante cuánto tiempo?

Comenzar con dosis bajas e incrementarlas de forma gradual. Es necesario un control médico durante la fase de comprobación o test terapéutico, controlando la dosificación, efectos y respuestas.

Si el paciente es un respondedor parcial o significativo al tratamiento farmacológico, y también lleva a cabo las indicaciones físicas y conductuales adecuadas, las respuestas beneficiosas se van alcanzando progresivamente a lo largo de los primeros meses de tratamiento.

Cuando se ha alcanzado la respuesta terapéutica máxima, generalmente dentro de los primeros 12 meses y esta se mantiene estable al menos durante otro año, recomendamos que se pueda plantear la reducción y/o retirada de la medicación si los síntomas son de intensidad leve. En muchos pacientes que han alcanzado esta situación, habrá largos periodos de tiempo en que no se necesite medicación o solo algún fármaco analgésico de forma puntual.

Si los medicamentos son útiles para personas con fibromialgia, ¿por qué a mí no me han hecho efecto?

No todos los pacientes con fibromialgia perciben que el tratamiento farmacológico les haya hecho efecto o les sea de alguna utilidad. En general, y por diversas razones, de un 30 a un 40% de los pacientes con fibromialgia no confían en la medicación como ayuda al control de la enfermedad.

Algunas veces es porque simplemente no se ha obtenido ninguna respuesta en ninguno de los síntomas a pesar de haber tomado el fármaco adecuado y las dosis correctas. Otras veces, porque los efectos inde-

seables, aunque no graves, han obligado a retirar el fármaco sin tener
la oportunidad de comprobar sus beneficios. Pero, en otras ocasiones,
simplemente es porque las respuestas obtenidas han sido parciales y no
cumplen las expectativas del paciente, lo que favorece su valoración de
que en esta situación no merece la pena tomar fármacos.

Ante esta última situación, convendría saber que muchos pacientes con
fibromialgia, sea por el retraso en el diagnóstico o por el hecho de no
realizar ningún tratamiento preventivo adecuado (físico, conductual o
farmacológico) pueden llegar a una situación de alta manifestación de
la enfermedad, con gran repercusión sobre su actividad y sobre sus posibilidades de adaptación, momento en el que se solicita tratamiento
médico. En este momento, la exclusiva toma de medicación no será suficiente para resolver las dificultades de adaptación y mejorar el control de
la enfermedad. En dicha situación, las mejoras parciales de los síntomas
pueden no ser valoradas como beneficiosas.

Las respuestas farmacológicas son mejor valoradas cuando se producen
en el contexto de un programa de tratamiento multidisciplinar, donde la
introducción de medidas y cambios cognitivo-conductuales, ocupacio-
nales y físicos se realizan al mismo tiempo.

¿Hay medicamentos que es mejor que no tome?

Como hemos explicado anteriormente, es preciso re-
marcar que hay que tomar la medicación necesaria, hu-
yendo de los medicamentos que no han demostrado
utilidad. Si no es necesario, a menos que esté indicado
por la existencia de una comorbilidad médica o psiquiá-
trica que lo precise, es recomendable no tomar sedantes
o ansiolíticos, antidepresivos no indicados y opioides mayores (morfina y
derivados) a largo plazo.

Como es fácil de entender, la fibromialgia necesita de un tratamiento
precoz y multidisciplinar, con una planificación terapéutica individualizada y un control clínico regular.

El tratamiento psicológico

El tratamiento cognitivo-conductual está diseñado para ayudar a la persona con fibromialgia a descubrir una manera más útil de manejar y superar su enfermedad.

El objetivo del tratamiento cognitivo-conductual es que la persona aprenda a cambiar ciertos patrones de pensamiento y de comportamiento que pueden ser responsables del mantenimiento o empeoramiento de los síntomas de la fibromialgia. En concreto, el patrón de actividad sostenida, el catastrofismo y la evitación de la actividad. Existen otras muchas estrategias cognitivo-conductuales, pero son medidas complementarias.

El tratamiento cognitivo-conductual consta de varios pasos:

1. Establecer objetivos de tratamiento.
2. Planificar un programa fijo de actividades y descansos.
3. Aumentar las actividades para alcanzar los objetivos de tratamiento.
4. Aprender a superar los pensamientos negativos y las creencias perjudiciales.
5. Aprender a consolidar los logros, prevenir recaídas y seguir avanzando.

Establecer objetivos de tratamiento

Antes de empezar la intervención sobre el dolor es muy importante que la persona con fibromialgia defina qué quiere conseguir con el tratamiento. El establecimiento de objetivos es un paso fundamental (y más difícil de lo que parece) para superar la enfermedad y decidir qué mejorías son más importantes para cada persona en particular. Sin embargo, existen varias cosas importantes sobre los objetivos que debe saber:

- Los objetivos de tratamiento no son cosas que le gustaría conseguir inmediatamente, sino cosas que le gustaría conseguir a medio o a largo plazo.

- Es importante plantearse varios tipos de objetivos para llevar una vida lo más equilibrada posible. Es frecuente que la persona enferma centre todos sus esfuerzos en una sola área de su vida como, por ejemplo, recuperar el trabajo. Sin embargo, deben incluirse otras áreas vitales fundamentales. No olvide que las actividades placenteras son tan importantes como el trabajo, las tareas domésticas o atender a los demás.

- Es importante plantearse metas realistas y alcanzables. Por ejemplo, si hace varios años que no trabaja, a lo mejor es más realista empezar con el objetivo de hacer un voluntariado o un trabajo a tiempo parcial, en vez de empezar con el objetivo de trabajar a tiempo completo. Si, por ejemplo, hace mucho tiempo que no va de excursión, quizá sería mejor empezar con el objetivo de caminar durante 15 minutos al día en vez de plantearse el objetivo de hacer una caminata de 3 horas con los amigos. Por supuesto, una vez que haya alcanzado sus objetivos iniciales podrá plantearse cambiarlos o ampliarlos.

- Es importante que los objetivos sean específicos, es decir:
  - La actividad que quiere realizar debe ser concreta (es muy difícil establecer un plan para objetivos muy lícitos pero demasiado inconcretos como «ser feliz» o «volver a sonreír»).
  - Debe determinar con qué frecuencia quiere realizar esa actividad (es muy difícil programar un objetivo si la frecuencia es «de vez en cuando»).
  - Debe especificar la duración exacta de la actividad (igual que en el caso de la frecuencia de la actividad, las duraciones inexactas como «durante un rato» hacen que los objetivos sean más difíciles de alcanzar).

- Aunque tenga la impresión de que los objetivos que se ha planteado son muy poco ambiciosos, recuerde que es necesario ser realista respecto a su estado físico actual. Recuerde también que el hecho de plantearse esos objetivos le ayudará a mantenerse claramente en la dirección deseada y que más adelante podrá ampliarlos.

Cómo establecer objetivos

1. Escoja varias de las áreas vitales que le presentamos a continuación para plantearse objetivos en cada una de ellas:

   a. **Tiempo libre:** es frecuente que las personas con fibromialgia dediquen todo el tiempo que están en casa a sus obligaciones domésticas. Un buen objetivo sería definir una duración concreta y fija para sus actividades placenteras como, por ejemplo, leer, escuchar música, pintar, jugar en el ordenador, tener tiempo para jugar con sus hijos, etcétera. No olvide las aficiones que tiene arrinconadas o las cosas nuevas que quizás le apetecería probar.

   b. **Trabajo/Educación:** si no está trabajando, puede que uno de sus objetivos sea volver a su antiguo puesto de trabajo, hacer un trabajo a tiempo parcial, o apuntarse a algún tipo de voluntariado. Puede que le interese iniciar algún curso que le facilite encontrar trabajo o que le permita cambiar la clase de trabajo que hace actualmente. No olvide que a lo mejor simplemente le interesa lo que se puede aprender en ese curso.

   c. **Actividades sociales:** no es infrecuente que las personas con fibromialgia se hayan visto obligadas a reducir el contacto con algunos amigos y familiares, o incluso que hayan perdido ese contacto. Quizá le interese considerar la posibilidad de buscar la manera de volver a tener contacto regular con esas personas. Incluso puede que le interese buscar la manera de conocer gente nueva.

   d. **Ejercicio:** a lo mejor usted hacía ejercicio en el pasado o practicaba un deporte con regularidad. También es posible que nunca haya estado muy en forma y que hacer ejercicio haya sido una de sus «cosas pendientes» durante los últimos años. Quizá uno de sus objetivos podría ser buscar tiempo para hacer ejercicio.

e. Tareas domésticas/bricolaje/jardinería: si está abrumado por la cantidad de cosas que tiene pendientes de arreglar en casa, puede que un buen objetivo sea planificar cómo hacerlas con tiempo y de una forma razonable.

2. Escriba una lista de actividades para cada área que le gustaría llevar a cabo durante los próximos meses.

3. Recuerde que debe ser concreto y específico. Defina la actividad concreta, con qué frecuencia quiere hacerla y durante cuánto tiempo. Puede que le sea más fácil definir bien los objetivos si responde a las siguientes preguntas:

Específico: ¿qué quiero conseguir, cuándo, dónde y con quién?

Mesurable: ¿cuánta distancia, cuánto tiempo, con qué frecuencia?

Factible: ¿es un objetivo realista?

Relevante: ¿es un objetivo importante para mí?

Vea a continuación algunos ejemplos de objetivos para asegurarse de que sus propios objetivos están definidos de forma clara y específica.

Objetivos mal definidos	Objetivos bien definidos
No necesitar ayuda para hacer la compra (no se especifica la frecuencia ni la duración)	Hacer la compra yo solo dos veces a la semana durante media hora cada vez
Salir más con los amigos (no se especifica la frecuencia ni la duración)	Quedar con un amigo para tomar un café una vez a la semana durante media hora
Dormir mejor (no se especifica ni la actividad, ni la frecuencia, ni la duración)	Levantarme a las 9 de la mañana todos los días
Estar más activo (no se especifica ni la actividad, ni la frecuencia, ni la duración)	Caminar 15 minutos diarios
Recuperar la concentración (no se especifica ni la actividad, ni la frecuencia, ni la duración)	Sentarme a leer el periódico o una revista durante media hora cada día

4. Divida los objetivos en pasos manejables.

Los objetivos son metas a largo plazo y, por lo tanto, para poder alcanzarlos es necesario dividirlos en pasos manejables. Un paso manejable es aquel que es realista y que no le empeora físicamente hasta el punto de interferir con el resto de sus actividades.

Una vez haya dividido sus objetivos podrá introducirlos progresivamente en su programa semanal de actividades.

Vea a continuación algún ejemplo de objetivos que se han dividido en pasos manejables:

Objetivo

Salir a caminar 2 veces al día durante 10 minutos cada vez

Pasos para alcanzar el objetivo

- · Levantarme de la cama o del sofá y caminar por la habitación
- · Salir a la calle y caminar durante 1 minuto cada hora
- · Salir a la calle y caminar durante 2 minutos cada hora
- · Salir a caminar 3 veces al día durante 3 minutos cada vez
- · Salir a caminar 3 veces al día durante 5 minutos cada vez
- · Salir a caminar 2 veces al día durante 7 minutos cada vez
- · Salir a caminar 2 veces al día durante 10 minutos cada vez

Objetivo

Quedar con mis amigos 3 horas cada semana

Pasos para alcanzar el objetivo

- · Hablar con un amigo por teléfono durante 15 minutos, 3 veces por semana

· Ir a ver a un amigo que viva cerca, una vez a la semana durante media hora

· Ir a ver a un amigo que viva cerca, una vez a la semana durante una hora

· Ir con un amigo a una cafetería, una vez a la semana durante una hora

· Quedar con mis amigos durante una hora y media, una vez a la semana

· Quedar con mis amigos durante 2 horas, una vez a la semana

· Quedar con mis amigos durante 2 horas y media, una vez a la semana

· Quedar con mis amigos durante 3 horas, una vez a la semana

Establecer objetivos terapéuticos es un paso imprescindible en la planificación del tratamiento y la medición de sus beneficios.

Recuerde, sin embargo que los objetivos terapéuticos deben ser específicos, concretos y realistas.

Modificar el patrón de actividad sostenida: planificación de un programa fijo de actividades y descansos

Como ya hemos comentado, la fibromialgia puede conducir a un patrón repetitivo de actividad excesiva (aquella que produce episodios de dolor intensos) que obliga a descansos muy prolongados. Este patrón es difícil de romper y puede ser muy frustrante.

Las personas que hacen demasiado son capaces de «seguir adelante» en el trabajo, en las tareas domésticas o en las obligaciones familiares al precio que sea, pero el resto del día y los fines de semana se ven obligadas a pasar la mayor parte de su tiempo descansando o durmiendo para intentar sentirse mejor y recuperarse para seguir haciendo frente a sus obligaciones. Este patrón puede ser muy perjudicial, ya que la vida se convierte únicamente en un mar de obligaciones y hace que la persona pierda la oportunidad de disfrutar de actividades placenteras como ver a los amigos, salir a dar un paseo, hacer algo de ejercicio o practicar alguna de sus aficiones.

La clave para modificar este patrón de comportamiento es hacer que la vida sea lo más equilibrada posible. Además, para que el dolor se reduzca es necesario evitar que se produzcan episodios de dolor intenso a causa de mantener actividades o posturas durante demasiado tiempo.

Para identificar las áreas en las que podría introducir cambios podría preguntarse lo siguiente:

- ¿Ha observado que no descansa ni un minuto durante su jornada laboral?
- ¿Tiene usted la impresión de que hace el trabajo de dos personas?
- ¿Suele finalizar su jornada laboral mucho más tarde de lo que le corresponde?
- ¿Diría usted que una vez en casa no se toma un descanso hasta haber llevado a sus hijos a la escuela, limpiado la casa, hecho la compra, etcétera?
- Cuando está en casa, ¿le cuesta encontrar un rato para sí misma?
- ¿Es usted de esas personas que no deja de hacer cosas hasta haberlo terminado todo, aunque sea muy tarde?
- ¿Es usted de esas personas que se levanta más temprano para dejar hechas varias tareas domésticas antes de irse a trabajar?
- ¿Estudia durante horas sin descanso y luego se pasa un día entero en que no puede hacerlo porque está extenuado?

Si la respuesta a algunas de las preguntas anteriores es SÍ quizá le resulten interesantes algunas de las siguientes ideas:

- ¿Podría salir un poco antes del trabajo?
- ¿Podría salir a comer fuera en vez de comerse cualquier cosa a toda velocidad mientras sigue trabajando?

- ¿Podría dejar la limpieza, la preparación de la comida, etcétera, y sentarse media hora?
- ¿Podría planificar una o dos actividades placenteras cada semana?
- ¿Podría reservar una hora para usted cada día?
- ¿Podría hacer una pausa en sus estudios para salir un rato a despejarse?

¿Qué debe tener en cuenta antes de planificar un programa fijo de actividades y descansos?

- Planifique con antelación lo que va a hacer cada día mediante un programa de actividades semanal. Esto le ayudará a equilibrar su tiempo entre las cosas que tiene que hacer (por ejemplo, el trabajo, los estudios, las tareas domésticas) y las actividades placenteras (ver a los amigos y tener un rato para relajarse leyendo un libro, por ejemplo).

- Planifique la duración de cada actividad para evitar que le produzca un aumento grave de dolor. Fraccione las actividades en «porciones asequibles» (aquellas que no producen aumentos graves del dolor) e intercale descansos breves entre porciones. Para planificar el «tiempo asequible» de cada actividad puede que le sea útil el planificador que encontrará un poco más adelante.

- Trate de incluir un paréntesis cada día en su agenda. Incluso si está realizando un trabajo exigente o tiene que cuidar a niños pequeños, debería ser posible asegurarse de que tiene por lo menos 15 minutos de descanso por la mañana y por la tarde, así como al menos un descanso de media hora a la hora de comer.

- No caiga en la tentación de realizar actividades durante largos períodos sin interrupciones, incluso si tiene la sensación de que tiene energía de sobra. Es probable que después pague un precio muy alto por ello y que necesite descansar demasiado tiempo para recuperarse. Recuerde que cada vez que las actividades le producen un aumento grave del dolor, las alteraciones fisiológicas de la fibromialgia permanecen activas o vuelven a activarse.

• No caiga en la tentación de aprovechar el fin de semana para ponerse al día con sus obligaciones. Una vez que empiece a hacer descansos regulares durante el día, es muy probable que se sienta menos cansado y dolorido el fin de semana y que tenga más energía. Trate de planear actividades placenteras para el fin de semana y, si es necesario, incluya un poco de tiempo para las tareas domésticas que tiene atrasadas.

Pasos para planificar un programa fijo de actividades y descansos

Escriba una lista de las actividades que tiene que hacer y las que le gustaría hacer durante la semana. No olvide incluir sus objetivos de tratamiento.

1. Anote la cantidad de tiempo que quiere emplear en cada actividad.

2. Divida cada actividad en porciones asequibles (aquellas que seguro que no le producirán un aumento grave del dolor), en vez de planificar una sola actividad durante mucho rato.

3. Recuerde que la porción asequible NO es el tiempo máximo que puede hacer una actividad, sino el tiempo que la puede hacer ANTES de que el dolor empiece a aumentar. Por ejemplo, si actualmente su actividad habitual incluye una hora de actividad doméstica cada día y el período de tiempo en que puede hacer actividad doméstica sin que el dolor se incremente son 20 minutos, divida la actividad doméstica de cada día en tres porciones de 20 minutos cada una.

4. Intercale descansos breves de 5 minutos entre porciones asequibles de actividad. En el ejemplo anterior, divida la actividad doméstica en tres porciones de 20 minutos e intercale un descanso breve de 5 minutos entre porciones. Lo que haga durante sus momentos de descanso es muy personal, pero quizá sea un buen momento para desconectar de sus obligaciones.

Vea a continuación un ejemplo de planificación de un programa fijo de actividades.

Planificador de períodos asequibles

ACTIVIDAD	TIEMPO TOTAL QUE DEBO DEDICARLE CADA SEMANA A ESA ACTIVIDAD	DURACIÓN ASEQUIBLE (En estos momentos, ¿cuánto tiempo seguido puedo dedicarle a esa actividad sin que me aumente el dolor?)	NÚMERO DE PORCIONES ASEQUIBLES (Divida el tiempo total por la duración asequible)
Planchar	2 horas a la semana (120 minutos)	15 minutos	120/15 = = 8 porciones asequibles de 15 minutos cada una
Salir a caminar	3 horas a la semana (180 minutos)	20 minutos	180/20 = 9 porciones asequibles de 20 minutos cada una

Aumentar las actividades para alcanzar los objetivos de tratamiento

Una vez haya establecido un patrón fijo de actividad y descanso y el dolor empiece a reducirse será el momento de empezar a incrementar gradualmente la cantidad de actividad que hace cada día. Normalmente, lo más recomendable es mantener cada patrón de actividad fijo al menos dos semanas antes de plantearse aumentarlo.

¿Cómo incrementar mi nivel de actividad?

Revise su programa de actividades y pregúntese para cada una de ellas, ¿en qué medida he sido capaz de realizarla? Puede utilizar la plantilla que le presentamos a continuación para decidir cómo modificar el nivel de cada una de sus actividades

¿EN QUÉ MEDIDA HE SIDO CAPAZ DE REALIZARLA? 0 = Completamente incapaz 100 = Completamente capaz	POSIBLES EXPLICACIONES DE HABERLO CONSEGUIDO O NO HABERLO CONSEGUIDO	CÓMO MODIFICAR MI NIVEL DE ACTIVIDAD
0% - 25%	Me planteé una cantidad de actividad que en este momento es excesiva He tenido algún problema agudo de salud (por ejemplo, una gripe)	Reduzca el nivel de esa actividad
25% - 50%	Me planteé una cantidad de actividad que en este momento está en el límite de lo excesivo	Si está cerca del 25% reduzca un poco el nivel de esa actividad. En cualquier otro caso, mantenga el mismo nivel de esa actividad
50% - 75%	Cantidad de actividad bien planteada	Si está muy cerca del 50% mantenga el mismo nivel de esa actividad. En cualquier otro caso, incremente un poco el nivel de esa actividad
75% - 100%	Cantidad de actividad muy bien planteada	Incremente un poco esa actividad En caso de que ya haya alcanzado su objetivo, mantenga el mismo nivel de esa actividad

¿Qué puede pasar cuando se incrementa la actividad?

Cada vez que incremente alguna de sus actividades puede notar que sus síntomas aumentan un poco. Esto suele ser temporal y generalmente se produce como consecuencia de cambiar su rutina habitual. Aunque tenga la sensación de que debería volver a descansar más, es importante que mantenga su programa de actividades. Lo normal es que a medida que su cuerpo se acostumbre a la nueva rutina, sus síntomas vuelvan a reducirse.

 Recuerde que NO es necesario que el dolor haya desaparecido para que empiece a incrementar una actividad o para que introduzca nuevas actividades

Aprender a superar los pensamientos negativos y las creencias perjudiciales

Una vez haya establecido un patrón regular de actividad y descanso y haya empezado a incrementar la duración de algunas de sus actividades es el momento de aprender a superar los pensamientos negativos.

Los pensamientos negativos pueden dificultar la mejoría de la fibromialgia sin que usted se dé cuenta. Por ejemplo:

- Los pensamientos que le hacen preocuparse por si la recuperación de algunas actividades (por ejemplo, ir al cine o quedar con los amigos) aumentará su dolor o hará que los demás se lo pasen mal pueden ser perjudiciales porque pueden provocar que evite hacer esas actividades.
- Los pensamientos que le hacen preocuparse por si no acabará las tareas a tiempo porque está haciendo porciones pequeñas e intercalando descansos pueden hacer que vuelva a hacer las actividades durante demasiado tiempo y, por tanto, que vuelva a sufrir episodios agudos de aumento del dolor.

- Los pensamientos que le hacen preocuparse por lo que pensarán los demás sobre su nueva manera de hacer las cosas pueden hacer que vuelva a la manera antigua de hacer las actividades para que los demás no se enfaden o para que no piensen que se aprovecha de la enfermedad, y que sufra una recaída.

- Los pensamientos que le hacen preocuparse por si su enfermedad está afectando a sus hijos pueden hacer que se exceda con algunas actividades (por ejemplo, llevarlos al parque durante demasiado rato), y que se vea obligada a descansar el resto del tiempo, no pueda preparar la cena y se sienta culpable.

Los pensamientos determinan lo que sentimos y cómo nos comportamos. Cuando estos pensamientos son negativos, lo que sentimos suelen ser emociones negativas y los comportamientos suelen ser perjudiciales. Curiosamente, la misma situación puede provocar emociones distintas dependiendo de los pensamientos que tengamos sobre esa situación. Por ejemplo:

Imagine que ha invitado a unos amigos a cenar. Son las 22 horas y hace media hora que sus amigos deberían haber llegado:

Pensamientos	Sentimientos
Están atrapados en un atasco de tráfico y no tardarán en llegar	Tranquilidad
Suerte que llegan tarde. He tenido más tiempo para preparar la comida	Alivio
No van a venir y ni siquiera se han molestado en avisar	Enfado
A lo mejor se han olvidado, les daré un par de minutos más y les llamaré	Comprensión
Obviamente ya no les gusto, de lo contrario habrían llegado a tiempo	Tristeza

Si cambiamos nuestra forma de pensar sobre algo, esto puede cambiar nuestro comportamiento, nuestras emociones y las reacciones físicas de nuestro cuerpo. Siguiendo con el ejemplo anterior, si la persona «enfadada» hubiera cambiado sus pensamientos y se hubiera planteado que «a lo mejor solo están en un atasco de tráfico y no tardarán en llegar», es probable que se hubiera tranquilizado, se habría sentido más relajada cuando llegaran sus invitados y, por tanto, habría pasado una noche más agradable.

Pensamientos perjudiciales relacionados con el dolor

Cuando alguien sufre una enfermedad como la fibromialgia es difícil mantener una actitud positiva porque la persona se siente mal, su vida está limitada y su futuro parece incierto. A veces, es fácil sentirse frustrado o desmoralizado. Estos sentimientos pueden hacer que sea más difícil mejorar.

Las personas con fibromialgia suelen tener pensamientos negativos que se pueden clasificar en dos áreas principales:

1.- TEMORES SOBRE LA ENFERMEDAD

Estos miedos son comprensibles, ya que los síntomas son debilitantes y molestos, y tanto los «expertos» como los familiares y amigos pueden tener ideas diferentes sobre la enfermedad y sobre lo que se debe y no se debe hacer para mejorarla.

Vea a continuación un ejemplo de cómo un pensamiento perjudicial relacionado con los temores sobre la enfermedad puede afectar a otras áreas de la vida de una persona con fibromialgia:

Situación: Esta mañana me despierto agotada y dolorida después de haber caminado demasiado el día anterior

Pensamiento: Debo estar empeorando

Comportamiento: Descanso la mayor parte del día

Emociones: Angustiada por si ha empeorado mi enfermedad. Frustrada por ceder ante el dolor

Síntomas físicos: Los síntomas físicos, como la fatiga y el dolor, empeoran

2.- Normas muy estrictas y expectativas muy exigentes con uno mismo

Muchas personas recuerdan que antes de desarrollar la fibromialgia eran personas muy atareadas, llenas de energía, tenaces, que podían con todo y que tenían un nivel de exigencia consigo mismas muy elevado. La fibromialgia hace que sea muy difícil mantener esas expectativas o esos niveles de actividad. Esto puede provocar:

- Ser demasiado crítico con uno mismo
- Dudar sobre intentar cosas nuevas por temor a no ser capaz de hacerlo suficientemente bien
- Preocupaciones sobre la propia capacidad que hacen más difícil poder completar las tareas
- Fijarse únicamente en las cosas que no he hecho
- Sentirse culpable por tomarse un descanso después de haber completado una tarea
- Sentirse frustrado por hacer mucho menos de lo que solía ser capaz de hacer

Vea a continuación un ejemplo de cómo los pensamientos perjudiciales relacionados con la autoexigencia pueden afectar a una persona con fibromialgia:

Situación: No consigo acabar todo lo que pensaba hacer hoy

Pensamiento: ¡Soy una inútil! Ya debería haber acabado de contestar los correos, haber terminado de pintar el cuarto de baño y haber arreglado mi habitación

Emociones: Frustrada por no haber completado las tareas que me propuse. Preocupada porque otra vez no he cumplido mis objetivos

Comportamiento: Incapaz de relajarme y de concentrarme en nada

Síntomas físicos: Más dolor, más fatiga

¿Cómo identificar y registrar los pensamientos negativos?

1. Trate de observar lo que pasa por su mente cuando tiene una emoción intensa o cuando perciba un cambio en su estado de ánimo.

2. Anote sus pensamientos negativos en el **diario de pensamientos negativos** que encontrará un poco más adelante. Si anota sus pensamientos negativos tan pronto como le sea posible podrá recordar el máximo número de detalles.

    *   **En la columna de la *situación***
        Anote lo que estaba haciendo o lo que le estaba sucediendo antes de sentir esa emoción intensa o ese cambio en su estado de ánimo.

    *   **En la columna de la *emoción***
        Anote la emoción que sintió cuando tuvo el pensamiento negativo. Anote la intensidad de la emoción en una escala de 0 a 100.

    *   **En la columna de los *pensamientos negativos***
        Escriba los pensamientos que le vinieron a la cabeza.

3. Si tiene más de un pensamiento negativo relacionado con una sola situación, subraye el pensamiento que considere más relacionado con la emoción que sintió o escriba cada pensamiento por separado.

4. Anote la credibilidad de cada pensamiento de 0 a 100.

    0 significará que no tiene ninguna credibilidad para usted, es decir, que no se lo cree en absoluto.

    100 significará que usted cree que el pensamiento es completamente cierto, sin ningún lugar a dudas.

Vea a continuación dos ejemplos del diario de pensamientos negativos de una persona con fibromialgia:

Diario de pensamientos negativos

SITUACIÓN	EMOCIÓN	PENSAMIENTOS PERJUDICIALES
¿Qué estaba haciendo en el momento en que me vinieron a la cabeza los pensamientos negativos?	¿Cómo me sentí? Puntúe la intensidad de la emoción de 0 a 100	¿Qué pensamientos me vinieron a la cabeza justo antes de empezar a sentirme de esta manera? Puntúe la credibilidad del pensamiento de 0 a 100
Estaba sentada, exhausta, después de caminar 10 minutos	Frustrada (70) Preocupada (80)	«Me siento muy cansada. <u>Debo estar empeorando</u>*. Estoy demasiado cansada para hacer nada más.» (80)
Me encontré con compañeros del trabajo	Triste (80)	«Me siento desconectada del mundo.» (90)** «Hace un año que no trabajo y no tengo nada que decir en las conversaciones con ellos.» (95)** «Deben pensar que soy una aburrida.» (80)**

* Subrayado porque fue el principal pensamiento que provocó las emociones negativas
** Pensamientos escritos por separado

¿Cómo modificar los pensamientos negativos?

1. Identificar los errores de pensamiento

Una vez haya empezado a identificar algunos pensamientos negativos verá que el acto mismo de tomar distancia de ellos tiene un efecto muy poderoso, ya que permite verlos como lo que son en realidad, solo pensamientos y no hechos consumados. Sin embargo, esto puede no ser suficiente. Por tanto, también debe aprender a cuestionarse sus pensamientos perjudiciales. Para ello debe aprender a basarse en hechos y no en suposiciones, es decir, debe aprender a ver las cosas de una manera más objetiva.

El primer paso para modificar los pensamientos negativos es examinarlos cuidadosamente para detectar la presencia de errores de pensamiento. Los errores de pensamiento (o errores cognitivos) son maneras de ver las cosas que parecen ciertas pero que a menudo esconden visiones sesgadas de la realidad. Identificar los errores de pensamiento le ayudará a tomar distancia y a encontrar pensamientos alternativos más objetivos y menos perjudiciales.

Vea a continuación una lista con ejemplos de los errores de pensamiento más comunes:

Error de pensamiento	Descripción	Ejemplo
Pensamiento todo o nada (pensamiento en blanco y negro)	Evaluar una situación utilizando solamente dos categorías en vez de un continuo de posibilidades	«Si no salgo a cenar hasta tarde no tiene sentido ni salir de casa.» «Hasta que no esté completamente bien no puedo llevar una vida satisfactoria.»
Generalización excesiva	Asumir que una cosa que ha pasado una vez volverá a pasar sin remedio	«Otras veces que he ido al cine me he encontrado mucho peor, por tanto, la próxima vez que vaya al cine también me encontraré mucho peor.»
Eliminar lo positivo	Fijarse únicamente en las experiencias negativas y olvidar las positivas	«He tenido una semana horrible y no he conseguido nada.»
Debería	Expectativas fijas e inflexibles sobre cómo debería comportarse uno mismo o cómo deberían comportarse los demás Sobreestimar las consecuencias de que no se cumplan esas expectativas	«A estas alturas del tratamiento debería ser capaz de hacerlo mejor, no me esfuerzo lo suficiente.» «Mi jefe debería ser más comprensivo.» «Si a estas alturas del tratamiento no soy capaz de hacerlo mejor nunca mejoraré lo suficiente para llevar una vida satisfactoria.» «Si mi jefe no es más comprensivo nunca podré volver a trabajar.»

Error de pensamiento	Descripción	Ejemplo
Catastrofismo	Evaluar o anticipar de manera desproporcionada haciendo que las cosas parezcan peores de lo que son en realidad	«Me duele la espalda y estoy más cansada; me debo estar haciendo una lesión permanente en la espalda.» «Estoy fatal, no puedo hacer nada.» «Si no mejoro, mi marido acabará dejándome y mis hijos no me querrán.»
Razonamiento emocional	Tomarse un sentimiento como si fuera una realidad. Creer alguna cosa con tal intensidad que no se tienen en cuenta las pruebas que contradicen ese sentimiento	«Me siento inútil, no sirvo para nada.» «No he mejorado nada en estos meses.» «Me siento culpable porque seguro que algo he hecho mal.»
Etiquetar	Ponerse o poner a los demás una etiqueta «global» o «inflexible» sin tener en cuenta las pruebas que contradicen esa etiqueta	«Soy una incompetente.» «Mis compañeros de trabajo son unos insensibles.»
Filtro mental	Prestar atención a un detalle negativo en vez de ver la escena entera	«Saqué un cinco en el examen (el resto de las notas son notables): no merezco pasar de curso.» «Al final de la cena con mis amigos estuve cansada, fue un desastre.»
Lectura del pensamiento	Creer que uno sabe lo que piensan o lo que pensarán los demás sin tener en cuenta otras posibilidades	«Piensan que porque no hago mala cara no estoy enferma.» «Seguro que me dirá que no.»
Personalización	Pensar que los demás se comportan de determinada manera por culpa de uno	«Mi médico está enfadado porque le llamé por teléfono dos veces esta semana.» «Mi hijo está más rebelde porque estoy enferma.»
Visión en túnel	Ver únicamente los aspectos negativos de una situación	«Estoy tan cansada como hace tres meses, no he mejorado en absoluto.» «No estoy completamente bien.»

2. CUESTIONARSE LOS PENSAMIENTOS NEGATIVOS

Una vez haya aprendido a identificar los errores de pensamiento puede empezar a cuestionarlos y a plantearse alternativas menos perjudiciales mediante dos estrategias:

* Ver la situación desde otro punto de vista

* Encontrar pruebas que no apoyan los pensamientos negativos

Vea a continuación algunas preguntas que puede hacerse para corregir los pensamientos negativos:

* ¿Qué errores de pensamiento estoy cometiendo?

* ¿Ha sucedido alguna vez que el pensamiento negativo no era cierto?

* ¿Estoy asumiendo que esta es la única manera de ver las cosas, o puede que otra persona lo viera de una manera diferente?

* ¿Si mi mejor amigo o alguien a quien quiero se encontrara en una situación similar, le diría las mismas cosas que me digo a mí mismo? Si no es así, ¿qué le diría?

* Si mi mejor amigo o alguien a quien quiero supiera que pienso de esta manera, ¿qué me diría?

* ¿Cuáles son las pruebas reales de que este pensamiento es cierto?

* ¿Hay alguna evidencia que me indique que este pensamiento puede no ser completamente exacto?

* ¿Existe alguna cosa, por pequeña que sea, que contradice mis pensamientos y que no estoy teniendo en cuenta porque pienso que no es importante?

* ¿Me estoy culpando por algo que no fue del todo culpa mía?

* ¿Estoy siendo demasiado autocrítico? ¿Estoy siendo demasiado exigente conmigo mismo?

- ¿Cuáles son las ventajas y las desventajas de pensar de esta manera?

3. DISEÑAR UN PLAN DE ACCIÓN

Cuestionarse los pensamientos negativos no siempre es suficiente para sentirse mejor o para convencerse de que esos pensamientos son incorrectos. Escribir un plan de acción le permitirá diseñar estrategias prácticas que le ayudarán a comprobar si los pensamientos negativos son exactos e exagerados.

Por supuesto, el tipo de plan de acción que diseñe dependerá del tipo de pensamiento negativo que tenga. Vea, por favor, algunos ejemplos a continuación:

Pensamientos relacionados con la enfermedad	Acción
Nunca mejoraré	Escribir cualquier mejoría por pequeña que sea
Pensamientos relacionados con el perfeccionismo y la autoexigencia Hoy no he conseguido nada	**Acción** Escribir una lista de lo que he conseguido hacer hoy, por pequeño que me parezca
Pensamientos relacionados con recuperar actividades o intentar actividades nuevas No puedo empezar un curso porque no seré capaz de recordar la información, hace años que no estudio No puedo quedar con mis amigos porque no me encuentro bien y además les voy a fastidiar	**Acción** Leer una página de un libro y comprobar cuántas cosas puedo recordar Planificar la duración de la actividad que voy a hacer con mis amigos y fraccionarla intercalando descansos. Antes de quedar, avisar a mis amigos de la planificación que he hecho y preguntarles qué les parece

4. COMPLETAR UN DIARIO DE NUEVOS PENSAMIENTOS (véase ejemplo en las páginas 106 y 107)

1. Complete las primeras 3 columnas tal como lo hizo cuando completó su diario de pensamientos negativos.

2. Complete las últimas 4 columnas de su diario de nuevos pensamientos. Puede serle útil utilizar la información de los últimos tres puntos tratados (identificar los errores de pensamiento, cuestionarse los pensamientos negativos y diseñar un plan de acción):

   - **En la columna de *pruebas a favor y en contra del pensamiento negativo:***
     - Anote el tipo de error de pensamiento correspondiente al pensamiento negativo.
     - Escriba varias respuestas a las preguntas de la sección «Cuestionarse los pensamientos negativos» (al menos 3 o 4 respuestas).

   - **En la columna de *nuevos pensamientos:***
     - Escriba nuevos pensamientos que sean creíbles pero menos perjudiciales y más equilibrados.
     - Anote en qué medida le parece cierto ese nuevo pensamiento en una escala de 0 a 100 (0 = me parece completamente falso; 100 = me parece completamente cierto).

   - **En la columna de *resultados***
     - Reevalúe la credibilidad del pensamiento negativo de 0 a 100.
     - Reevalúe la intensidad de la emoción de 0 a 100.

   - **En la columna *plan de acción***
     - Escriba las estrategias que llevará a cabo para comprobar en qué medida es cierto el pensamiento negativo, superar su pensamiento negativo, para mejorar su situación, para sentirse mejor, etcétera.

Cuestiones que debe tener en cuenta al enfrentarse a los pensamientos negativos

- No se dé por vencido si encuentra que el procedimiento es difícil. Evaluar y cuestionar nuestros pensamientos no es algo que hagamos normalmente. Siga las pautas con cuidado y verá que con el tiempo cada vez le resultará más fácil y útil.

- Cuando uno se siente triste, abatido o enfadado es difícil pensar en «pensamientos alternativos» o en «pruebas en contra de los pensamientos negativos». Sin embargo, es importante que anote sus pensamientos negativos tan pronto como le sea posible para que no se le olvide ningún detalle.

- Si no se siente capaz de pensar en las pruebas en contra de sus pensamientos negativos o en otros pensamientos alternativos de inmediato, no se preocupe, haga otra cosa hasta que se sienta más tranquilo; puede que entonces se encuentre en una mejor posición para enfrentarse a ellos.

- Los pensamientos alternativos son aquellos que le ayudan a cambiar la forma en que siente acerca de una situación o un problema. ¡No tienen por qué ser ingenuamente positivos!

- No se decepcione si el mismo tipo de pensamientos negativos se repiten una y otra vez. Es probable que de momento esto siga ocurriendo, ya que los pensamientos perjudiciales suelen ser persistentes. Sin embargo, si sigue cuestionándolos tan pronto como aparezcan, poco a poco se reducirá la veracidad y la credibilidad del pensamiento negativo.

- Con el tiempo llegará a ser capaz de desafiar a sus pensamientos negativos de memoria. Inicialmente, sin embargo, escribirlos es más fácil y le ayudará a ser más objetivo.

- Recuerde que no existe una manera correcta o incorrecta de pensar. El objetivo de cuestionar sus pensamientos negativos es que eso le ayudará a sentirse mejor.

Vea la página siguiente un ejemplo del Diario de Nuevos Pensamientos.

DIARIO DE NUEVOS PENSAMIENTOS

Situación	Emoción	Pensamientos perjudiciales	Pruebas a favor y en contra del pensamiento negativo	Nuevos pensamientos	Resultados	Plan de acción
¿Qué estaba haciendo en el momento en que me vinieron a la cabeza los pensamientos negativos?	¿Cómo me sentí? Puntúe la intensidad de la emoción de 0 a 100	¿Qué pensamientos me vinieron a la cabeza justo antes de empezar a sentirme de esta manera? Credibilidad del pensamiento de 0 a 100	Anote el tipo de error de pensamiento correspondiente al pensamiento negativo. Escriba varias respuestas a las preguntas de la sección «Cuestionarse los pensamientos negativos» (al menos 3 o 4 respuestas)	Nuevos pensamientos más útiles y equilibrados. Credibilidad del pensamiento nuevo de 0 a 100	Reevalúe la credibilidad del pensamiento negativo de 0 a 100. Reevalúe la intensidad de la emoción de 0 a 100	¿Qué estrategias voy a utilizar para superar el pensamiento negativo, mejorar la situación, sentirme mejor, etcétera?
Estaba sentada, exhausta, después de caminar 10 minutos	Frustrada (70) Preocupada (80)	«Me siento muy cansada.» «Debo estar empeorando.» «Estoy demasiado cansada para hacer nada más (80).»	Catastrofismo «No tengo pruebas reales de que esté empeorando. Otras veces he estado muy cansada y después me he recuperado. Pensar así me hace sentir peor».	«Ahora estoy muy cansada pero después siempre me recupero.» (80). «Puedo intentar hacer alguna actividad suave y ver qué tal me manejo.» (75).	Credibilidad (50) Frustrada (60) Preocupada (50)	Verificar si me recupero Intentar llamar a una amiga y preparar una comida sencilla

DIARIO DE NUEVOS PENSAMIENTOS

Situación	Emoción	Pensamientos perjudiciales	Pruebas a favor y en contra del pensamiento negativo	Nuevos pensamientos	Resultados	Plan de acción
Me encontré con compañeros del trabajo	Triste (80)	«Me siento desconectada del mundo.» (90)	Pensamiento en blanco y negro. «Todavía no he intentado hablar con ellos.» «Mi vida es algo más que el trabajo.»	«No trabajar no significa estar desconectada porque mantengo contacto con otras personas como mi familia.» (50).	Credibilidad (80) Triste (40)	Hacer una lista de las cosas y personas que me mantienen conectada con el mundo
		«Hace un año que no trabajo y no tengo nada que decir en las conversaciones con ellos.» (95)	Pensamiento en blanco y negro	El trabajo no tiene por qué ser el único tema de conversación (90)	Credibilidad (60)	Iniciar una conversación preguntándoles cosas y ver si puedo intervenir en la conversación
		«Deben pensar que soy un muermo.» (80)*	Lectura del pensamiento Etiquetar «No puedo saber qué piensan.»	«No puedo saber qué piensan los demás, de hecho, anteriormente nunca pensaron eso de mí.» (95)	Credibilidad (40)	Explicarles que me da miedo que piensen que soy un muermo

Aprender a consolidar los logros, prevenir recaídas y seguir avanzando

En las secciones anteriores hemos intentado explicar las habilidades necesarias para superar la fibromialgia. Recuerde que para vencer la enfermedad debe ser capaz de resistirse al desaliento y persistir cada día en la realización de las actividades programadas. De esta manera, las actividades que inicialmente formaron parte de su programa de objetivos acabarán formando parte de su rutina diaria.

Es muy importante que siga manteniendo su programa de actividad semanal y de incremento progresivo de actividades hasta que pueda alcanzar todos los objetivos que se ha propuesto. Para mantener la motivación es importante que conserve un registro de las pequeñas mejorías que va observando y de los objetivos que va consiguiendo.

Si no reinvierte sus ganancias corre el riesgo de que se esfumen. Por tanto, es importante que siga fijándose objetivos realistas y alcanzables con el fin de seguir mejorando su salud y su calidad de vida. Recuerde que es muy importante recuperar las cosas poco a poco y, si es necesario, dividirlas en pasos manejables.

Mantener el registro de pensamientos perjudiciales le ayudará a reducir las emociones negativas, incluidos los miedos relacionados con la recuperación de actividades, con las opiniones de los otros o con el incumplimiento de las expectativas de los demás.

Vea a continuación algunos consejos generales para mantener y aumentar la mejoría:

- Asegúrese de que su estilo de vida incluye un equilibrio entre las obligaciones y las gratificaciones.

- Reserve una hora cada día para hacer *lo que quiera hacer*.

- Asegúrese de programar pausas breves y regulares cuando esté trabajando, estudiando, cuidando a los niños, etcétera.

- Trate de asegurarse de que mantiene un patrón regular de sueño.

- Mantenga las pautas de ejercicio tal como se las han prescrito.

- Si está haciendo demasiado (bien porque se despista, bien porque las circunstancias así lo exigen) ordene sus actividades según su prioridad. Muchas personas pasan la mayor parte de su tiempo intentando responder a lo urgente. En otras palabras, apagando fuegos a base de correr para resolver problemas o respondiendo a estrictas exigencias de los demás.

- Aunque a veces esto es inevitable, los expertos en administración del tiempo recomiendan priorizar aquello que es importante pero no urgente. Cuanto más tiempo dedique a las cosas importantes antes de que se conviertan en urgentes, menos cosas urgentes se cruzarán en su camino. Así pues, empiece con sus cosas importantes pero no urgentes, aunque solo sea un rato.

Manejar las recaídas

Durante su proceso de recuperación puede haber momentos en los que sufra una recaída, es decir, un incremento de los síntomas durante varios días que le impida mantener su nivel de actividad.

Durante una recaída puede que tenga la sensación de ir hacia atrás y de estar volviendo a la «manera antigua de hacer las cosas», por ejemplo, descansando en respuesta a los síntomas y no de forma fija, durmiendo durante el día o aprovechando para hacer demasiada actividad los días en que se siente un poco mejor. Durante una recaída también puede desanimarse y tener dudas sobre si está afrontando la fibromialgia de manera correcta.

Es importante tener en cuenta que no siempre pueden evitarse las recaídas, pero sí pueden tratarse con bastante facilidad. Lo más importante es ser capaz de reconocer una recaída si se produce y afrontarla mediante la puesta en marcha de algunas medidas positivas.

1. Identificar el riesgo de recaída para poder estar preparado de antemano

Las recaídas pueden producirse sin un motivo aparente, pero hay momentos en los que tienen más probabilidades de ocurrir como, por ejemplo:

- Si tiene una infección, una caída u otra enfermedad.

- Si se produce una circunstancia estresante importante como, por ejemplo, cambiar de casa, el fallecimiento de un ser querido, cambiar de trabajo, casarse o divorciarse, una enfermedad de un familiar que necesita atención y ayuda, etcétera.

- Si se acercan fines de plazo importantes como, por ejemplo, un objetivo laboral o la entrega de un trabajo escolar.

- Si presenta un estado de ánimo depresivo.

- Si deja de utilizar las estrategias que le hemos explicado en este capítulo y vuelve a los viejos patrones de comportamiento.

En general, con el fin de prevenir las recaídas puede que le sea útil responder a las siguientes preguntas:

- ¿Qué señales de alarma me indicarán que mi enfermedad está empeorando?

- ¿Qué medidas puedo adoptar si detecto estas señales de alarma?

2. ¿Cómo abordar las recaídas?

Aunque sufrir una recaída puede parecer un desastre, también puede ayudarle a comprender mejor su enfermedad y a mejorar la forma en que se enfrentará a ella en el futuro. La mayoría de las personas superan las recaídas con bastante facilidad y siguen avanzando aún mejor gracias a lo que han aprendido durante la recaída. ¡Lo más importante es que no cunda el pánico!

- Si, por ejemplo, tiene fiebre u otra enfermedad además de la fibromialgia, es importante que aumente su descanso unos días hasta que la fiebre o la enfermedad se normalicen. Consulte a su médico, pero no caiga en la tentación de descansar más tiempo o hasta que todos los síntomas desaparezcan, ya que esto puede prolongar la recuperación.

- Planifique cómo manejará una situación de riesgo como, por ejemplo, una mudanza o tener a toda la familia a cenar en Nochebuena.

- Trate de cortar los problemas de raíz, tan pronto como se dé cuenta de que no los está manejando adecuadamente. Por ejemplo, no demore la visita a su médico si tiene síntomas de otra enfermedad, negocie con quien corresponda las fechas límite antes de que le quiten el sueño, pida ayuda antes de caer exhausto. Cuanto antes intervenga, menos tiempo le llevará volver al camino de la recuperación.

- Establezca prioridades para sus actividades: Si no tiene tiempo de llevar a cabo todos sus objetivos o no se siente capaz de cumplirlos, no se dé por vencido, simplemente modifíquelos hasta que pueda volver a retomarlos otra vez.

- Recuerde que debe equilibrar las obligaciones y el ocio tanto como sea posible.

- ¿Se está usted pidiendo demasiado a sí mismo? Reduzca sus expectativas. Comente sus dudas y preocupaciones lo antes posible con el profesional que le está atendiendo.

El ejercicio físico y la fisioterapia

En este apartado queremos hablarle de la importancia del ejercicio físico y de sus efectos positivos en la salud, de los cuales pueden beneficiarse, y mucho, los pacientes con fibromialgia.

Para que sea una herramienta útil y beneficiosa debemos pautar y programar el ejercicio físico teniendo en cuenta los aspectos físicos que caracterizan a esta enfermedad y adaptarnos constantemente a las individualidades de cada paciente.

Por lo tanto, hay que tener en cuenta el grado de afectación y la presencia de otras enfermedades o lesiones que puedan contraindicar la práctica de ejercicio físico (enfermedades coronarias agudas o inestables, infecciones agudas, distrés emocional significativo (psicosis), fracturas o inestabilidades vertebrales, etcétera), las cuales deben ser valoradas por el médico.

Así pues, solo pretendemos aquí dar unas recomendaciones generales sobre ejercicio físico y orientar a los pacientes en el tipo y la manera de realizarlo.

Importancia del ejercicio en personas con fibromialgia

La práctica regular de ejercicio físico es una de las herramientas más eficaces para controlar los efectos negativos de esta enfermedad.

En términos generales de salud, cada vez existe más evidencia de los efectos negativos del sedentarismo, los cuales pueden conducirnos a sufrir afecciones crónicas (hipertensión, diabetes, etcétera) o, en el peor de los casos, muerte prematura.

Existen estudios científicos que muestran el tanto por ciento de supervivencia en relación al tiempo que estamos sentados. Es decir, cuanto más tiempo pasamos sentados más disminuye nuestra esperanza de vida. Por lo tanto, la contribución del sedentarismo a los problemas de salud está claramente establecida.

Los beneficios del ejercicio físico se mantienen mientras este se realiza y se pierden a los pocos días de dejarlo. Por tanto, un estilo de vida físicamente activo debe mantenerse con mayor o menor frecuencia a lo largo de la vida.

- La práctica del ejercicio debe ser progresiva, regular y mantenida en el tiempo. Deberemos ser conscientes de que sus beneficios no los conseguiremos de forma inmediata sino, aproximadamente, al cabo de unas 4 u 8 semanas, dependiendo del estado físico inicial de cada persona y de la frecuencia con que se realice el ejercicio físico.

- Las personas con fibromialgia deben ser pacientes y mantenerse constantes en la práctica del ejercicio. Solo así conseguiremos mejorar.

- No se debe intentar recuperar el tiempo perdido o iniciarse en la práctica del ejercicio en el nivel en el que se dejó. Si lo hace, puede aumentar los síntomas de la enfermedad o el riesgo de sufrir otras lesiones.

- Generalmente, las personas con fibromialgia son reacias a realizar ejercicio físico regular por el temor a un incremento del dolor y/o fatiga que les impida realizar las actividades básicas de la vida diaria.

- La introducción al ejercicio se suele favorecer si se dispone de un profesional que instruya sobre el tipo, duración, cantidad y modo de ejecución del ejercicio.

- Es necesario individualizar la práctica del ejercicio físico según las características de cada paciente.

- El ejercicio físico genera más beneficios que daños, como verá más adelante.

- Con la práctica del ejercicio inducimos la liberación de ciertas hormonas (insulina, adrenalina, etcétera) y neurotransmisores (dopamina, serotonina, etcétera) que nos inducen al movimiento y a la sensación de bienestar que este genera.

- Los programas de ejercicio supervisado son los que cuentan con un mayor grado de evidencia sobre su eficacia.

- Los efectos adversos a los que puede dar lugar el ejercicio son lesiones osteomusculares (tendinitis, contracturas, etcétera) o trastornos cardiovasculares (lipotimias, arritmias, étcetera) si este está mal pautado y/o ejecutado.

Beneficios del ejercicio físico

Los beneficios del ejercicio físico en la salud son múltiples pero, concretamente las personas con fibromialgia pueden beneficiarse del mismo a diferentes niveles:

- Disminuir el dolor a nivel general: muscular y articular.

- Disminuir la atrofia o debilidad muscular.

- Mejorar la rigidez articular.

- Incrementar la capacidad cardiorrespiratoria, es decir, la capacidad de bombear sangre y de oxigenar nuestros tejidos, con el objetivo de disminuir la fatiga.

- Incrementar las capacidades físicas básicas: fuerza, velocidad, flexibilidad, resistencia, coordinación y equilibrio.

- Facilitar las funciones del aparato digestivo (digestión, tránsito intestinal, etcétera).

- Mejorar la calidad del sueño. Sin embargo, es recomendable no realizar ejercicio 3-4 horas antes de acostarse, pues el sistema nervioso se puede activar y la sensación de somnolencia se perdería.

- Aumentar las capacidades cognitivas, tales como memoria y concentración. Existen estudios que demuestran los efectos beneficiosos del ejercicio físico en la capacidad de ejecución, control y velocidad de las actividades cognitivas.

- Mejorar la calidad de vida y la sensación de bienestar general, confianza y autoestima.

- Disminuir alteraciones psicológicas, tales como: ansiedad y depresión.

Los diferentes estudios realizados demuestran que el ejercicio físico aeróbico realizado por los pacientes con fibromialgia reduce el dolor, la fatiga, la depresión y las limitaciones, mejorando la condición física y la calidad de vida relacionada con la salud.

Fibromialgia. Ministerio de Sanidad, Política Social e Igualdad. 2011

Recomendaciones generales de ejercicio físico en pacientes con fibromialgia

Aspectos básicos

- El ejercicio físico debe ser supervisado por un profesional, como mínimo al principio.

- Individualizar la frecuencia, la intensidad, el tipo y el tiempo de ejercicio físico, empezando con cargas de trabajo bajas que iremos aumentando progresivamente según la tolerancia del paciente.

- Por ejemplo, podría empezar por salir a caminar 2-3 días a la semana, en periodos mínimos de 10 minutos a una intensidad tal que le permita mantener una conversación entrecortada. Vaya aumentando progresivamente los días de ejercicio físico, más adelante incremente el tiempo y finalmente la intensidad.

- Respete los descansos propuestos por el asesor profesional del ejercicio.

- Pare en caso de notar alguno de estos síntomas: dolor, náuseas o falta de aire. Consúltelos posteriormente con su médico o fisioterapeuta.

- No realice ejercicio en las 3-4 horas posteriores a una ingesta copiosa, ya que puede sentir dolor estomacal y quizá no pueda ejercitarse correctamente.

- Al finalizar, descanse entre 15 y 30 minutos según el tiempo e intensidad del ejercicio y según sus necesidades.

- Realizar ejercicio físico en compañía es más motivador y divertido.

Demasiado ejercicio puede producir un aumento de los síntomas y demasiado poco es inadecuado para obtener resultados.

Precauciones

- Síntomas como la fatiga y el dolor pueden empeorar al inicio si la condición física no es la adecuada. Si nos mantenemos constantes en la frecuencia, el organismo acabará adaptándose a las exigencias del ejercicio físico entre las 4 y 8 primeras semanas posteriores.

- Los diferentes parámetros (tiempo, frecuencia e intensidad) deben ir aumentando siempre y cuando llevemos unas 2-3 semanas tolerando bien ese tipo de ejercicio en particular.

- Si el dolor aumenta durante la práctica del ejercicio físico, el paciente debe parar y descansar.

- En el caso de que aparezca un brote, es decir, un aumento repentino de los síntomas, la intensidad del ejercicio debe disminuir pero la frecuencia (días de ejercicio) debe mantenerse.

Tipos de ejercicio físico

Se define como **actividad física:**

> *«Cualquier movimiento producido por la musculatura esquelética que tiene como resultado un gasto energético por encima del metabolismo basal (en reposo).»*

Por lo tanto, el simple hecho de levantarse de la cama, ducharse, subir escaleras, comprar, etcétera está considerado como una actividad física. Es decir, son movimientos que realizamos diariamente con nuestro cuerpo pero que no necesitan ser programados ni estructurados según un tiempo, intensidad, etcétera.

Por el contrario, se define como **ejercicio físico:**

> *«Cualquier actividad física planificada, estructurada y repetitiva que tiene como objetivo la mejora o el mantenimiento de una o más de las cualidades físicas básicas: fuerza, resistencia, velocidad, equilibrio, coordinación y flexibilidad.»*

Como las personas afectadas de fibromialgia ven reducida su capacidad para soportar las actividades físicas de la vida cotidiana, con la programación de ejercicio físico pretendemos mejorar sus capacidades físicas (fuerza, resistencia, velocidad, flexibilidad, etcétera) con el objetivo de mejorar su calidad de vida.

La programación del ejercicio físico es siempre difícil. Sin embargo, las personas con fibromialgia deben ser extremadamente cuidadosas en este aspecto, empezando con cargas de trabajo mínimas que irán aumentando progresivamente teniendo en cuenta la evolución y 4 parámetros importantes: la frecuencia, la intensidad, el tiempo y el tipo de ejercicio.

Ejercicio aeróbico

El ejercicio aeróbico es el ejercicio físico repetitivo en el que intervienen grandes grupos musculares contra una resistencia moderada y durante un tiempo prolongado.

Por lo tanto, entendemos como ejercicio aeróbico: caminar, bailar, ejercicio acuático, bicicleta, correr, etcétera.

Teniendo en cuenta los 4 parámetros anteriormente mencionados, el ejercicio aeróbico debería realizarse:

- Con una frecuencia de 2 días a la semana, como mínimo, aunque se logran mejores resultados con una frecuencia de 3-5 días por semana.

- La intensidad del ejercicio debe ser suficiente como para alcanzar el 65% de nuestra frecuencia cardiaca máxima o lo que es lo mismo, ser capaces de realizar el ejercicio y mantener al mismo tiempo una conversación entrecortada. La frecuencia cardiaca máxima es la que se alcanza en un esfuerzo hasta llegar al agotamiento. Una manera de calcularla es mediante la siguiente fórmula: frecuencia cardiaca máxima = 220 − edad.

- Las sesiones deben ser por lo menos de 20 minutos de duración y pueden llegar hasta unos 60 minutos, como ejercicio continuado o realizado de forma intermitente a lo largo del día en bloques de 10 minutos, como mínimo.

- Inicie el ejercicio con un tiempo mínimo de ejecución de 10 minutos y vaya aumentando progresivamente 5 minutos, cada 2-3 semanas, hasta alcanzar los 30 minutos o más.

El ejercicio aeróbico es el tipo de ejercicio que presenta mejor nivel de evidencia científica sobre los efectos beneficiosos en la fibromialgia y superior a otros tipos de ejercicio como el de fuerza o el de flexibilidad.

Ejercicio de fuerza

La fuerza se trabaja con ejercicios donde se hace uso de una resistencia, bien sea el propio cuerpo o resistencias externas, para conseguir la contracción muscular.

Los requisitos para la ejecución del trabajo muscular son:

- Hacer los ejercicios con una frecuencia de 2-3 días a la semana.

- Realizar 2 series de 8 a 12 repeticiones de cada ejercicio.

- El tiempo que tarde en realizar el ejercicio y la intensidad de ejecución dependerá del nivel físico de cada persona.

No hay consenso en cuanto al tipo de ejercicios que deben realizarse. En esta guía os proponemos 5 ejercicios funcionales con los que poder trabajar la fuerza de grandes grupos musculares.

1. Levantarse y sentarse de una silla, con o sin ayuda de las manos.

2. Apoyar las manos en la pared por debajo de los hombros y realizar flexión de brazos.

3. Estirada boca abajo, levantar un brazo y la pierna contraria de forma alternativa.

4. Estirada boca arriba con las piernas flexionadas y los brazos al lado del cuerpo, contraer abdomen y glúteos y levantar la pelvis hacia el techo.

5. Estirada boca arriba con las piernas flexionadas, inspirar por la nariz profundamente durante 4 segundos aproximadamente. y espirar lentamente por la boca hasta expulsar todo el aire, mientras contrae el abdomen y los glúteos.

Ejercicio de flexibilidad

Para el trabajo de la flexibilidad utilizamos ejercicios suaves y mantenidos con el objetivo de estirar el músculo, más allá de su posición en reposo.

En reglas generales, los estiramientos deberían realizarse:

- Con una frecuencia de 2 días o más a la semana.

- La intensidad debe valorarse con el objetivo de alcanzar una posición de malestar leve, es decir, sin llegar a producir un dolor desagradable o no tolerable.

- Haciendo 2-3 repeticiones de cada grupo muscular manteniendo el estiramiento de 10 a 30 segundos.

Existen muchos tipos y formas de estirar el músculo. Aquí os proponemos los estiramientos pasivos de los grupos musculares que más comúnmente solicitan las personas afectadas de fibromialgia.

Estiramientos:

- Trapecios: realizar una leve rotación hacia la derecha y después flexionar la cabeza hacia delante ayudándote con la mano del mismo lado, si es necesario. Mantener la postura y repetir lo mismo en el lado contrario. Si lo prefiere, puede realizar el ejercicio sentada en una silla.

- Paravertebrales: flexionar la cabeza hacia delante ayudándose con las dos manos, si es necesario, y mantener la postura. Si lo prefieres, puede realizar el ejercicio sentada en una silla.

- Cuádriceps: de pie y agarrándose a cualquier superficie firme, flexionar la rodilla llevando el pie hacia el glúteo y mantener la postura mientras sujeta el pie con la mano del mismo lado. Repetir el ejercicio con la otra pierna.

- Glúteos: sentada en el suelo, cruzar una pierna hacia el lado contrario ayudándose con el brazo de ese mismo lado, mientras hace una rotación del tronco hacia el lado contrario. Mantener la postura y repetir lo mismo con la otra pierna.

- Gemelos: apoyada en una superficie firme, adelantar una pierna mientras se mantiene la otra completamente estirada y sin levantar la planta del pie. Mantener la postura y repetir el ejercicio en el lado contrario.

- Lumbares: estirada boca arriba, flexionar las rodillas contra el pecho y mantener la postura.

A pesar de su alta utilización, el ejercicio de flexibilidad o estiramientos es el tipo de ejercicio que tiene menor nivel de evidencia científica de sus efectos beneficiosos sobre la fibromialgia.

La terapia ocupacional en la fibromialgia

Las pacientes con fibromialgia tienen limitaciones en la productividad laboral y la vida personal y familiar. Además, la sintomatología interfiere, también, en las actividades de la vida diaria, la rutina, y el desempeño de los roles de la persona, provocando dependencia y con ello una carga tanto familiar como laboral, con la repercusión que esto conlleva en las esferas físicas, emocionales y relacionales.

Algunos estudios publicados indican que las actividades con más dificultades son en el rendimiento laboral (trabajo fuera de casa), las actividades instrumentales del hogar (planchar, colgar la ropa en el tendero, hacer la comida, fregar suelos, ventanas y limpieza del hogar en general) y utilizar el transporte público.

El tratamiento a través de la terapia ocupacional para los pacientes que padecen fibromialgia va dirigido a poder normalizar la mayor parte de las actividades del día a día, que aparentemente parecen simples, pero que se acaban convirtiendo en difíciles o muy difíciles de realizar de manera habitual. Este será un proceso dinámico, ya que la sintomatología cambia de un momento a otro del día, entre días, meses e incluso años.

Nuestro objetivo será aumentar la capacidad funcional, realizando un análisis de las actividades de la vida diaria, tanto las del hogar (por ejemplo, cocinar, realizar la compra, limpieza, cuidado de la ropa, cuidado de los niños, etcétera) como las básicas (vestirse, ducharse, uso del transporte, etcétera), las de ocio y las laborales (trabajo, educación, voluntariado, etcétera). Siempre daremos preferencia a enseñar habilidades que puedan modificar la sintomatología, y a seleccionar y realizar las actividades de la vida diaria en función de la limitación que imponga el dolor y la fatiga.

Analizando la funcionalidad

En un primer momento, es importantísimo poder analizar la funcionalidad, es decir, el qué, cómo, cuándo y dónde se están realizando las actividades diarias de cada persona.

Para ayudar a normalizar las actividades sería necesario realizar un diario semanal de las actividades cotidianas. Veamos el ejemplo de la página siguiente.

Es muy útil comparar el diario de actividades de una semana con un diario de sintomatología (dolor/fatiga) en la misma semana, para conocer las dificultades en las actividades del día a día.

Nombre: Sara

Semana: 8 10 / 2007

	Lunes	Martes	Miércoles	Jueves	Viernes	Sábado	Diumenge
9.00-11.00	Hospital terapia	Dormir / Estar en la cama	Hospital terapia	Dormir / Estar en la cama	Dormir / Estar en la cama	Dormir / Estar en la cama	Dormir / Estar en la cama
11.00-13.00	Hospital terapia	Dormir / Estar en la cama	Hospital terapia	Dormir / Estar en la cama / Escuchar música	Dormir / Estar en la cama / Jugar al ordenador	Dormir / Estar en la cama / Ver la televisión	Dormir / Estar en la cama / Pasear/ Sentarme
13.00-15.00	Pasearme / Sentarme / Tomar algo	Intentar leer / Ver televisión / Ducharme	Pasearme / Sentarme / Ducharme	Hacer los ejercicios / Ver la televisión	Hacer los ejercicios / Ver la televisión Ducharme	Jugar al ordenador / Intentar leer / Ducharme	Hacer los ejercicios / Ver la televisión Ducharme
15.00-17.00	Comer / Ver la televisión	Comer / Ver la televisión	Comer / Ver la televisión	Comer / Ver la televisión	Comer / Ver la televisión	Comer / Ver la televisión	Comer / Pasear / Sentarme / Tomar algo
17.00-19.00	Dormir / Estar en la cama	Pasear / Sentarme / Tomar algo	Dormir / Estar en la cama	Ducharme / Pasear / Sentarme	Estar en la cama / Ver la televisión	Pasear / Sentarme / Tomar algo	Pasear / Sentarme / Tomar algo
19.00-21.00	Dormir / Estar en la cama	Escuchar música / Intentar leer	Dormir / Estar en la cama	Escuchar música / Ver la televisión	Estar en la cama / Ver la televisión	Pasear / Sentarme / Tomar algo	Jugar al ordenador
21.00-23.00	Cenar / Ver la televisión	Cenar / Ver la televisión	Cenar / Ver la televisión	Cenar / Intentar leer	Cenar / Jugar al ordenador	Cenar / Jugar al ordenador	Cenar / Ver la televisión

Diario semanal de dolor/cansancio

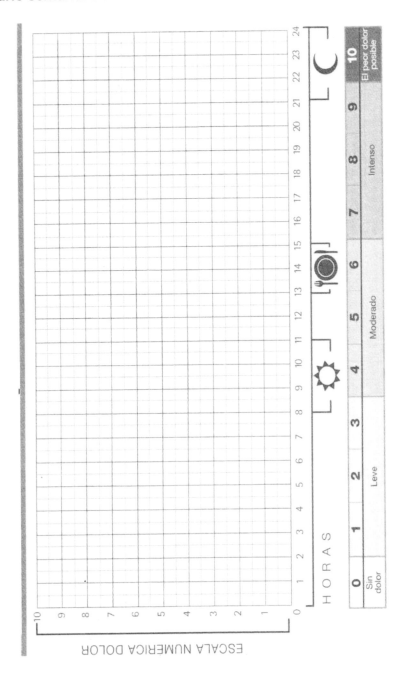

En las actividades en casa es imprescindible conocer cuáles son las más problemáticas y cuales son las más significativas para cada uno, para así poder priorizar, adaptar y minimizar según sean las necesidades en cada caso.

Sería adecuado, por ejemplo: puntuar del 1 al 10 las actividades en casa o personales según su grado de dificultad

Grado de dificultad	Actividad	Que me resulta difícil de realizar
	Ducharme / vestirme	Elevar los brazos
	Caminar	Mantener un ritmo
	Compras	Cargar peso
	Colocar lavavajillas	Poner vasos y platos de abajo arriba
	Lavadora	Sacar ropa
	Cortinas	Mantener brazos en alto
	Ordenador	Espalda erguida y movimientos de brazos
	Subir escaleras	Levantar piernas y subir

Es también importante analizar las actividades laborales, fijándonos sobre todo en el tipo de las tareas específicas que realizar, repetición de las mismas, posición en las que se realizan, ambiente (entorno laboral) y ritmos de trabajo. Sería adecuado realizar algún registro relativo a las diversas tareas de la actividad laboral y a como se están realizando. Por ejemplo:

Profesión:_____

¿Que tareas requieren de la realización de las siguientes exigencias físicas?

Exigencias físicas	Tareas
Empujar	
Tirar	
Levantar cargas de suelo a cintura	
Levantar cargas de cintura a encima de la cabeza	
Levantamiento horizontal de cargas	
Cargar ambas manos	
Cargar una mano	
Sentarse	
Estar de pie	
Caminar	
Escaleras	
Inclinación mantenida	
Alcanzar objetos por encima de la cabeza	
Gatear	
En cuclillas	
Arrodillarse	
Agacharse	

A- termina el movimiento no acompañado de dolor

B- termina el movimiento acompañado de dolor

C- lo intenta pero no puede completar el movimiento debido al dolor

D- no puede intentarlo debido al dolor

Trabajar por la independencia

El objetivo de este apartado es intentar dar una visión global del día a día de un enfermo de fibromialgia en todas las actividades que realiza para tener unas pautas y poder minimizar los síntomas de la enfermedad.

Al levantarme: buenos días

Al levantarnos de la cama, lo ideal, es flexionar primero las rodillas, girar para apoyarnos en un lado, e incorporarnos de lado hasta sentarnos, ayudándonos de los brazos. Una vez sentados, nos levantamos apoyándonos en las manos. Nunca nos levantaremos de golpe.

Una ducha para activarme me servirá para recuperar el tono muscular que he perdido por la noche. Aprovecho para estirarme debajo del agua. Después me visto y desayuno. Antes de salir para el trabajo me lavo los dientes, intento mantener una postura adecuada y si es necesario utilizo un taburete o me apoyo en el lavabo y uso un cepillo de dientes eléctrico. Si tengo que maquillarme me siento y utilizo un espejo sobre la mesa para poder apoyar los codos si es necesario. Todo lo que uso más a menudo lo tengo a mi altura.

Que suerte, hoy no me toca hacer la cama, le toca a mi marido.

Me voy al trabajo: empieza la jornada

Intentaré aprovechar el desplazamiento hasta el trabajo para andar un poco. Sobre todo si tu trabajo es sedentario, es una buena manera de hacer ejercicio, barata y agradable. Empiezo bajando en una parada de autobús o de metro antes y progresivamente voy incrementando el desplazamiento a pie. Si voy en coche, aparco un poco más lejos.

La postura en el trabajo: las más comunes son las de pie o sentado. En las de pie (trabajos en fábricas o talleres, peluqueros, cocineros, camareros, etcétera) se recomienda alternar esta posición con la de sentado y que el área de trabajo sea lo suficientemente amplia para permitir los movimientos de los pies y poder repartir el peso.

La altura del plano de trabajo variará dependiendo del tipo de actividad (si es de precisión el plano estará a una altura mayor y si es de esfuerzo físico el plano estará a una altura menor).

En la posición de sentado, también deben realizarse pausas, y alternar con la posición de pie, a poder ser en movimiento. Los pies deben estar bien apoyados en el suelo, el peso repartido en ambos lados del culo, y las caderas formando un ángulo de 90°. Los antebrazos deben estar bien colocados formando un ángulo de 90° con la mesa de trabajo y con espacio suficiente.

Resumen de consejos útiles en el trabajo:

- Los cambios de postura siempre son beneficiosos

- Para girar o rotar utilizar siempre el movimiento de los pies y/o levantarse, nunca arrastrar la silla.

- Intercalar periodos de descanso variables dependiendo del tipo de trabajo.

- Durante el trabajo siempre es preferible estar sentado que de pie, y si hay que estar de pie siempre es mejor con un poco de movimiento.

- Al estar sentado regular las sillas y asientos al nivel de cada uno, apoyarse en el respaldo, con los pies en el suelo, y las caderas y rodillas formando ángulo recto.

- Los materiales, herramientas y equipos deben estar colocados en el área de trabajo habitual.

- Siempre que se pueda, usar ayudas mecánicas al movilizar pesos, y siempre es mejor empujar que arrastrar.

Me voy a comprar

Antes compraba una sola vez por semana. Ahora reparto la compra en los siete días de la semana. Un día compro por Internet todo lo más pesado (productos de limpieza, bebidas, caldos, etcétera). Siempre que voy a comprar utilizo carro.

Nunca cargo mucho y si tengo que hacerlo pido ayuda, o solicito el servicio de transporte a domicilio. Si se trata de una compra no programada, reparto el peso en dos bolsas por igual, pero no cargo más de 2 kilos por brazo. Las compras sin ayuda deben ser diarias y de pequeños artículos.

Al cocinar

Procuraré que la encimera y los armarios estén ubicados a mi altura. Todas las cosas que más pesan estarán en los armarios más cerca de mi ombligo y de mi pecho En los de abajo y de arriba tendré lo que menos uso.

Para evitar agacharme, el microondas o el horno estarán por encima (tampoco muy altos), pero nunca por debajo. Es conveniente incorporar ayudas en la cocina (cestas de cocción, instrumentos eléctricos, etcétera). Si tengo que estar un rato cortando o pelando me siento en una silla y lo hago sobre la mesa. Tendré en cuenta el tipo de comidas y los días de la semana (por ejemplo, comida preparada en el fin de semana), uso de comida congelada, llevar a cabo partes de la actividad culinaria durante el día.

Cuando termino y tengo que fregar los platos abro la puerta del armario de debajo de la pica y coloco un pie dentro. Después de un rato lo alterno con el otro. Si es posible, es mejor utilizar el lavavajillas.

Cuando pongo lavadoras

Divido la carga de ropa; siempre es mejor la lavadora de carga frontal que no la de carga superior. Introduzco la ropa con las dos manos sentada en una banqueta frente a la lavadora.

Los productos que usaré los tengo a media altura. Saco la ropa de la lavadora (que es cuando más pesa) en diversas tandas para no cargar el cesto en exceso. Tiendo la ropa teniendo en cuenta que lo que más pesa lo colocaré más cerca de mi cuerpo y al revés.

Si tengo que planchar

Intentaré repartir el planchado a lo largo de la semana. Esto se puede facilitar combinando el planchado con otra tarea. Plancharé según la tolerancia al dolor que experimente. Utilizo un taburete o reposapiés de unos 10 centímetros de alto. Alterno el apoyo de un pie y luego el del otro. La tabla de planchar debe estar a la altura de la cadera para estar bien posicionada. Alterno planchar de pie con hacerlo sentada para prendas más pequeñas. Evito mantener los pies juntos.

Al barrer

Me coloco en una buena posición, utilizo una escoba y recogedor de mango largo. Si puedo, utilizo un robot eléctrico.

Al fregar

Usar un palo de fregona alto, llenar el cubo hasta la mitad, usar un cubo con ruedas para moverlo, usar cubos especiales para escurrir (con palanca).

Nunca intento hacer todo el piso, sino que fracciono la tarea (por ejemplo, hoy me toca el salón).

Resumen de consejos útiles para realizar las actividades en casa:

- **Dividir la tarea** global que hay que realizar en pequeñas tareas que sean más fácilmente manejables. Por ejemplo, en vez de hacer limpieza general (objetivo inasequible para la mayoría de las personas), comenzar limpiando una única habitación. Fraccionar actividades.
- **Simplificar** las actividades
- **Ser realista y adaptar los objetivos** a las posibilidades reales en cada momento.
- **Adaptar** las normas posturales a mi día a día. En las posiciones estáticas realizar cambios. Tener en el sitio adecuado todo aquello que se usa más habitualmente. Al aumentar el dolor, parar.
- **Valorar** cada tarea realizada. En vez de fijarse en lo que todavía queda por hacer, centrarse en **lo que se ha conseguido**, en los pequeños logros de cada día y felicitarse por ello.
- **Establecer prioridades** entre las actividades que hay que realizar, comenzando por aquellas que sean más urgentes y aprendiendo a posponer las restantes cuando sea necesario.
- **Equilibrar** el reposo y la actividad. Establecer descansos.
- Posibilidad de **delegar**. Pedir ayuda cuando sea necesario.
- Disminuir la exigencia.
- No intentar recuperar tareas.
- Emplear más tiempo en la realización de la actividad.

Aceptación y reconocimiento de las limitaciones

Es fundamental que las personas que padecen fibromialgia tomen conciencia de la sintomatología de la enfermedad, sobre todo de aquellos síntomas que se convierten en persistentes y dificultan las actividades del día a día. Una vez realizado un tratamiento adecuado, y si no se consigue un control aceptable de algunos síntomas que interfieren directamente en las actividades productivas, hay que conocer los mecanismos que existen actualmente para poder adaptarse a la discapacidad y reorientar la situación laboral, social y/o familiar.

Esto es de enorme importancia en el ámbito del trabajo, ya que puede suceder que la persona afectada de fibromialgia no pueda desempeñar su actividad laboral de la forma en que lo venía haciendo, o bien de ninguna manera. Es por ello que podemos entrar con frecuencia en una situación de bajas temporales de más o menos duración.

En algunas ocasiones estas bajas continuadas serán premonitorias de una incapacidad de tipo permanente para la actividad laboral actual.

Ante esta situación, el paciente con fibromialgia ha de ser consciente de que su enfermedad le va a impedir desarrollar su trabajo habitual, de manera parcial o de manera absoluta según los casos, por lo que resulta importante tener claro cuáles han de ser los pasos que se deben seguir al solicitar un reconocimiento de la incapacidad laboral permanente, en el grado que corresponda.

Lo más habitual es que la persona que comienza con dificultades en sus actividades laborales acabará sufriendo algún periodo de incapacidad temporal. Esta incapacidad temporal tiene que ser autorizada por un facultativo (en su mayor parte por los médicos de cabecera o de familia). Esto supone recibir una prestación económica (de mayor o menor cuantía dependiendo de motivos variables) sin obligación de trabajar. Esta prestación tiene una duración máxima de doce meses y es prorrogable por seis meses más si se puede presuponer un alta por mejoría de la enfermedad que ha obligado a la incapacidad temporal.

Durante este tiempo el trabajador estará sometido a controles periódicos con diversos facultativos como el médico de familia del Centro de Atención Primaria, el médico de la Mutua Laboral, o el médico de Organismos de Valoración de Incapacidades (EVIs, ICAM, etcétera).

Durante este periodo o al finalizar el mismo, la Inspección del Servicio Público de Salud o los Organismos de Valoración de Incapacidades, formularán la correspondiente alta médica por considerar que el paciente está en condiciones de realizar su trabajo o realizará una propuesta de **reconocimiento de incapacidad laboral** al Instituto Nacional de la Seguridad Social (INSS), que valorará desde un punto de vista médico-jurídico el estado físico del trabajador en relación con su capacidad de trabajo.

En cualquier momento, el trabajador también puede solicitar de manera independiente una valoración al equipo de valoración de incapacidades presentando un modelo normalizado a la Dirección Provincial del INSS de donde resida.

Existen cuatro grados de incapacidad laboral:

- *Incapacidad permanente parcial para la profesión habitual*. Cuando los trabajadores tienen una disminución en su capacidad de trabajo habitual no inferior a un 33%, pero pueden desarrollar las tareas fundamentales de su puesto de trabajo. Prácticamente solo se considera en mermas parciales o lesiones de alguna pequeña parte.

- *Incapacidad permanente total para la profesión habitual*. Inhabilita a los trabajadores para la realización de todas las tareas o las fundamentales de su profesión habitual, aunque pueden dedicarse a otras.

- *Incapacidad permanente absoluta para todo trabajo*. Inhabilita por completo a los trabajadores para toda profesión u oficio.

- *Gran invalidez*. Los trabajadores necesitan de la ayuda de una tercera persona para las actividades esenciales de la vida diaria, como consecuencia de pérdidas anatómicas o funcionales.

En función del grado de incapacidad que se reconozca, se recibirá una determinada prestación económica. Cuanto mayor sea la discapacidad mayor será la compensación económica en términos generales.

Es frecuente que la Administración no pueda valorar adecuadamente en esta enfermedad el grado de lesión existente, por lo que en muchas ocasiones no es reconocida la incapacidad relacionada con dicha lesión. En estas circunstancias muchos pacientes inician un proceso legal por vía judicial para poder acceder al reconocimiento de su incapacidad. Según un estudio epidemiológico reciente realizado en España (Estudio EPIFFAC. Fundación FF), el 23% de los pacientes con fibromialgia controlados en los centros de atención primaria tenían un reconocimiento de invalidez laboral. Este reconocimiento había sido realizado directamente por la Administración en la mitad de los casos, mientras que en la otra mitad el reconocimiento se obtuvo a través de un proceso judicial.

Por otra parte, en diversas comunidades autónomas las consejerías relacionadas con Bienestar Social realizan una evaluación para el reconocimiento del grado de discapacidad o minusvalía que la persona tiene independientemente de su situación laboral. No se valora especialmente el diagnóstico, sino las secuelas que la enfermedad produce sobre las actividades de la vida diaria. Se expresa en porcentaje y cuanto más elevado más beneficios sociales se obtienen en forma de reducción de impuestos, facilitación de transporte público, accesibilidad a puestos de trabajo adaptados, etcétera. No se asocia a este reconocimiento ninguna compensación económica directa.

El abordaje de un buen sueño

Como ya se dijo en el capítulo sobre la historia de la fibromialgia, las alteraciones del sueño, especialmente la fragmentación del sueño y el sueño no reparador, han sido consideradas históricamente un síntoma característico de la fibromialgia.

En general, los problemas de sueño son frecuentes en las personas con dolor crónico. Los más comunes incluyen: dificultades para conciliar el sueño, despertares frecuentes, despertarse muy temprano o dormir demasiado. La calidad del sueño suele ser pobre y las personas con dolor suelen levantarse por la mañana con sensación de agotamiento. Los estudios científicos observan alteraciones del sueño en el 70-90% de las personas con fibromialgia.

La relación entre el dolor y el sueño puede ser bidireccional. Como se puede ver en la figura, 5.1 el dolor puede empeorar el sueño, pero la alteración del sueño también puede empeorar el dolor. Sin embargo, las alteraciones del sueño, aunque frecuentes y molestas entre las personas con fibromialgia, no tienen tanta influencia sobre la fatiga, la capacidad física o el bienestar emocional como cabría pensar. Es decir, dormir bien es importante pero no es imprescindible para mantener un nivel de actividad adecuado y satisfactorio

Figura 5.1. *Relación entre el dolor y sueño en la fibromialgia.*

De hecho, descansar demasiado durante el día o tener un nivel de actividad excesivamente bajo hace que por la noche nuestro cerebro reduzca la duración de las fases del sueño de las que depende la sensación de levantarse descansado. Por consiguiente, es posible que parte de la sensación de sueño no reparador se deba a haber hecho muy poca actividad o a haber descansado demasiado durante el día.

Dicho esto, veamos qué otros factores pueden contribuir a los problemas de sueño:

- Irse a dormir y levantarse unos días muy pronto, otros días muy tarde, puede alterar el reloj interno del cuerpo y provocar que se pierdan varias claves que son muy importantes para el sueño, como sentirse soñoliento por la noche y alerta por la mañana.

- La inactividad durante el día puede aumentar la sensación de fatiga y, por tanto, la necesidad de hacer una siesta. Dormir durante el día provocará que necesite menos horas de sueño por la noche.

- Un entorno de sueño poco confortable, como un colchón incómodo, demasiado ruido, frío, calor, una pareja que no para de moverse, etcétera, pueden hacer que se despierte varias veces durante la noche.

- Estudiar, leer, hacer papeleo en la habitación, etcétera, pueden hacer que le sea más difícil «desconectar» a la hora de irse a dormir.

- Pasar mucho rato despierto en la cama sin dormir puede provocar que su cerebro asocie la habitación o la cama con estar despierto, lo que hará que le sea más difícil conciliar el sueño por la noche.

- Tener preocupaciones o la mente activa (planificar, repasar) a la hora de ir a dormir pueden provocarle tensión, inquietud y una mayor dificultad para relajarse, lo que entorpecerá la conciliación del sueño.

- Dormir demasiado puede implicar que tenga más dolor y que se sienta cansado constantemente, ya que el sueño se convierte en «ligero» y no reparador.

Por consiguiente, parece que lo más importante para mejorar el sueño es establecer una rutina adecuada y aumentar la actividad. A medida que establezca una rutina estable durante el día y empiece a incrementar la actividad notará que su sueño empieza a mejorar.

Vea a continuación algunas estrategias para mejorar el sueño. Tenga en cuenta que es posible que necesite aplicarlas durante un par de semanas antes de empezar a notar cambios significativos.

Establezca una rutina

El objetivo de establecer una rutina es ayudar a su reloj biológico a recuperar un ritmo estable. Establecer una rutina le ayudará a regular sus ritmos corporales y, por tanto, a empezar a sentir las mismas cosas en determinados momentos del día (sueño durante la noche y estado de alerta durante el día) y así poder establecer un ciclo de sueño-vigilia regular.

No es muy recomendable que empiece a normalizar sus hábitos de sueño yéndose a la cama a la misma hora todas las noches, ya que puede que en ese momento no tenga sueño. En cambio, sí que es conveniente empezar por regularizar la hora de levantarse. Si empieza a levantarse a la misma hora cada día es probable que se encuentre más cansado a la noche siguiente y que, por lo tanto, empiece a irse a la cama a la misma hora de un modo natural.

Vea a continuación varias recomendaciones para ayudarle a establecer una rutina de sueño. Tenga en cuenta que para algunas personas lo que funciona es poner en marcha todas estas instrucciones de golpe mientras que para otras funciona mejor hacerlo de forma gradual.

Con el fin de establecer una rutina de sueño:

- Levántese a la misma hora cada día aunque no haya dormido mucho la noche anterior. Puede ser útil ponerse un despertador, pedir ayuda a su pareja, a algún otro miembro de su familia o pedir a un amigo que le llame durante unos días a esa hora.

- No haga siestas durante el día aunque se sienta muy cansado.

- No se vaya a la cama más temprano aunque se sienta muy cansado o para recuperar el sueño perdido la noche anterior.

Asocie su cama y el dormitorio con el sueño en lugar de asociarla con estar despierto

Si hace tiempo que tiene problemas de sueño, es posible que cuando se meta en la cama, en vez de sentir sueño se note despierto o inquieto, y eso le dificulte conciliar el sueño. Su cerebro puede haber asociado la cama y el dormitorio con estar despierto en lugar de asociarla con estar dormido.

Las siguientes recomendaciones tienen como objetivo ayudarle a asociar la cama y el dormitorio con el sueño en lugar de asociarla con estar despierto:

- Si es posible, evite el uso del dormitorio durante el día. Intente tener un área de trabajo independiente de la cama, de modo que solamente tenga que utilizar su cama para dormir.

- No lea, estudie, vea la televisión, charle con su pareja, planifique o resuelva problemas en la cama, porque estas son actividades propias de cuando uno está despierto.

- ¡No se quede dormido en el sofá!

- Váyase a la cama cuando tenga sueño y no «cuando toca». Por ejemplo, si usted cree que debería irse a la cama a las 11 de la noche pero en ese momento no tiene sueño, espere a tenerlo antes de irse a la cama.

- Evite la tentación de irse a la cama muy temprano aunque tenga sueño, porque se despertará en mitad de la noche o demasiado temprano por la mañana.

- Apague la luz en cuanto se meta en la cama.

- Si no se duerme en 20 minutos, vaya a otra habitación y siéntese a descansar o a leer hasta que tenga sueño de nuevo.

- Repita el paso anterior tantas veces como sea necesario y también si se despierta por la noche y tarda más de 20 minutos en quedarse dormido.

- Trate de seguir este programa de manera rígida porque puede que necesite varias semanas para establecer un patrón de sueño eficiente y regular.

Establezca un patrón de sueño óptimo

Un patrón de sueño óptimo es aquel que le proporciona un sueño de buena calidad, que le hace despertarse poco durante la noche y que le permite conciliar el sueño rápidamente.

Su patrón de sueño será óptimo cuando la mayor parte del tiempo que está en la cama está durmiendo. Es decir, cuando el sueño sea eficiente y regular. Para establecer su patrón de sueño óptimo, debe reducir la cantidad de tiempo que está despierto en la cama y aumentar la cantidad de tiempo que está en la cama durmiendo. Esto se puede hacer a la vez que pone en marcha las recomendaciones de los dos apartados anteriores.

- Calcule aproximadamente el tiempo total que está dormido en una noche típica. Puede preguntarle a su pareja cuánto tiempo está usted dormido, porque a veces tenemos la sensación de que dormimos menos de lo que lo hacemos en realidad.

- Quédese en la cama solamente cuando esté dormido.

  - Por ejemplo: si usted suele estar en la cama durante 10 horas, de las cuales solamente duerme 6 en total, solo debe permanecer en la cama durante 6 horas.

  - Puede que inicialmente se sienta más cansado, pero esa falta de sueño inicial provocará que empiece a dormirse más rápidamente, que se despierte menos veces y que el sueño sea más profundo.

- Más adelante, si quiere, podrá incrementar gradualmente el tiempo que pasa en la cama a medida que mejore la eficiencia de su sueño.

Si duerme demasiado tiempo, reduzca el sueño por la noche

Dormir más de lo que dormía antes de tener una fibromialgia puede incrementar la sensación de agotamiento por la mañana. Si el tiempo que duerme actualmente excede en una hora o más al que dormía antes de desarrollar la fibromialgia, posiblemente se sentirá mejor si reduce la cantidad de tiempo que duerme por la noche.

- Reduzca poco a poco las horas de sueño, ya sea yéndose a la cama media hora más tarde o levantándose media hora antes.

- Mantenga fijo el número de horas de sueño, equilibrando la hora de irse a dormir y la de levantarse. Es decir, si su plan es no dormir más de 8 horas y se va a dormir a las 11 de la noche debería levantarse a las 7 de la mañana. Si se va a dormir a las 2 de la madrugada no debería levantarse más tarde de las 10 de la mañana.

- No caiga en la tentación de compensar la sensación de cansancio volviendo a dormir demasiadas horas, ya sea levantándose más tarde o yéndose a la cama más temprano, ni que sea de manera puntual.

- Revise su patrón de sueño cada semana y siga reduciendo su tiempo de sueño poco a poco hasta que empiece a sentirse más «fresco» cuando se despierte.

- Puede que se sienta más cansado las primeras semanas después de cambiar su rutina de sueño, pero verá que a largo plazo la calidad de su sueño aumenta a medida que reduce el exceso de horas de sueño.

Higiene del sueño

La higiene del sueño se refiere a los factores del estilo de vida y del entorno que pueden ser beneficiosos o perjudiciales para el sueño.

Tenga en cuenta que las pautas de higiene del sueño son las más recomendadas, pero son las estrategias menos efectivas. No quiere esto decir que no puedan ayudarle a mejorar el sueño, sino que limitarse únicamente a la higiene del sueño suele ser de muy poca ayuda.

Dicho esto, las pautas de higiene del sueño más comunes son:

- *Ejercicio*: intente no hacer ejercicio a menos de 3 horas de la hora de acostarse porque puede mantenerle activado. No obstante, el ejercicio al final de la tarde puede hacer que su sueño sea más profundo.

- *Dieta:* una comida pesada muy cercana a la hora de acostarse puede interferir con el sueño. Lo mismo se aplica a beber mucho líquido.

- La *cafeína* es un estimulante que se asocia con el retraso de la conciliación del sueño y puede causar insomnio a dosis muy altas. A diferencia de lo que piensa la mayoría de las personas, el efecto de la cafeína no es inmediato sino diferido. Por consiguiente, si quiere tomar sustancias con cafeína hágalo entre 4 y 6 horas antes de la hora de dormir.

- El *alcohol* puede acelerar la conciliación del sueño, pero puede causar alteraciones del sueño durante la noche a medida que se metaboliza.

- *Entorno:* como sin duda imaginará, es mejor que la cama y el colchón sean cómodos, pero tampoco es necesario que dilapide sus ahorros comprándose camas o colchones especiales que prometen efectos milagrosos que nunca se han demostrado.

- Intente reducir al mínimo la luz y el ruido, pero tampoco se obsesione, porque sino estará demasiado pendiente del resquicio de luz que se cuela por la persiana o del murmullo de las voces de los vecinos y tampoco dormirá. Intentar no tener demasiado calor ni demasiado frío durante el sueño también suele ayudar.

Prepárese para el sueño

El establecimiento de una rutina le ayudará a prepararse mental y físicamente para irse a dormir.

- Trate de desconectar de sus obligaciones al menos durante una hora antes de irse a la cama (esto incluye poner o sacar los platos del lavaplatos, poner o recoger lavadoras, secadoras o ropa tendida, doblar calcetines, responder correos pendientes, preparar la comida de mañana, etcétera).

- En lugar de sus obligaciones, incluya en esa hora las actividades que le resulten relajantes, como ver la televisión, tomar un baño caliente, leer por placer, escuchar música, hacer calceta, pensar en las musarañas, etcétera.

- Evite las actividades estimulantes que le mantendrán alerta como, por ejemplo, el trabajo, el estudio, tomar decisiones importantes, etcétera.

- Desarrolle un orden regular de hacer las cosas, por ejemplo, cerrar la puerta de la casa, apagar las luces, cepillarse los dientes, etcétera. Esta secuencia actuará como una señal para indicarle a su cuerpo que se prepare para dormir.

Estrategias de resolución de problemas para reducir las preocupaciones por la noche

Estar acostado en la cama por la noche preocupándose por los problemas puede hacer que se sienta tenso y que esto le impida dormir. La estrategia que se describe a continuación puede ayudarle a reducir las preocupaciones por la noche y, por lo tanto, puede ayudarle a sentirse más relajado y a conciliar el sueño con mayor rapidez:

- Resérvese 20 minutos cada tarde.

- Anote los problemas o los cabos sueltos de los que no ha podido ocuparse durante el día.

- Anote los posibles pasos que puede dar para resolver esos problemas o para atar los cabos sueltos. Calcule cuánto tiempo tendrá que asignar a cada uno de esos pasos.

- Considere otros posibles problemas que a largo plazo pueden interferir en su sueño como, por ejemplo, preocupaciones por problemas emocionales, financieros o de otro tipo.

- Anote el primer paso o el próximo paso que debe dar y cuándo lo hará. ¡No haga un plan, escriba un compromiso consigo mismo!

- Si no puede dormir o se despierta preocupado por un problema, recuérdese que tiene el asunto enfocado y que preocuparse ahora no le ayudará a resolverlo.

- Si aparecen nuevas preocupaciones por la noche, escríbalas en un cuaderno o un pedazo de papel y abórdelas el día siguiente.

Cómo manejar la frustración de no poder dormir

Si se siente frustrado por no poder conciliar el sueño y le preocupa cómo se sentirá mañana, es posible que intente quedarse dormido con todas sus fuerzas. Este esfuerzo voluntario por dormir puede interferir con el reflejo de quedarse dormido y, por tanto, hacer que se sienta más frustrado, más tenso y que, efectivamente, no se duerma. Vea a continuación qué puede hacer para manejar este tipo de situaciones:

- No intente dormirse por fuerza de voluntad. Cuanto más se esfuerce menos lo conseguirá. De hecho, en ocasiones es mejor que se esfuerce en no quedarse dormido, lo que produce un efecto de relajación que puede inducir el sueño (técnica de inducción paradójica).

- Dígase a sí mismo que «el sueño vendrá cuando esté listo» y que «relajarse en la cama es casi tan bueno como dormir».

- Trate de mantener los ojos abiertos con la habitación a oscuras. Cuando se le estén cerrando los ojos intente resistirse unos segundos más. Esta estrategia «desafía» la tendencia a intentar conciliar el sueño por fuerza de voluntad.

- Visualice una escena agradable.

- Intente relajarse. Por ejemplo, concentrarse en respirar despacio puede serle útil y además le ayudará a no preocuparse por otras cosas. Esto puede hacerlo tanto en la cama por la noche como en otros momentos del día.

Otros problemas que pueden afectar al sueño

En ocasiones, las personas con fibromialgia pueden tener otros problemas que afectan significativamente el descanso nocturno, por ejemplo:

- *Apneas del sueño*. Un síndrome frecuente en la población general, que produce ronquera y paradas de la respiración durante periodos de tiempo largos, durante el sueño, lo que dificulta una buena oxigenación cerebral y contribuye a un mal descanso. Si su pareja observa que presenta estas paradas de la respiración durante la noche es necesario consultar al médico, ya que necesita un tratamiento específico.

- *Síndrome de piernas inquietas*. Algunos estudios observan que es algo más frecuente en personas con fibromialgia. Se caracteriza por la necesidad imperiosa de mover las extremidades inferiores, o por una sensación de hormigueo que le despierta y le obliga a levantarse y caminar para que desaparezca. Si se producen estos síntomas debe consultar con su médico, ya que disponen de un tratamiento específico.

- *Toma crónica de ansiolíticos para dormir*. Altera los patrones y ritmos del sueño y en muchos casos se deben retirar o sustituir para favorecer la normalización del sueño. Debe consultar con su médico o con el especialista en sueño.

La mejora del descanso nocturno es un objetivo necesario en el tratamiento de los pacientes con fibromialgia. Con el tratamiento de la enfermedad es uno de los primeros síntomas que mejora, incluso antes que el dolor y la fatiga. Si no es así, se debería revisar que otros factores están influyendo sobre el mismo y la necesidad de otras medidas complementarias

¿Que sabemos de la nutrición en la fibromialgia?

No cabe duda de que alimentarse de manera adecuada y procurar o evitar la ingesta de según qué alimentos es saludable y conveniente. Muchas de las enfermedades crónicas que nos afectan en la actualidad, como la fibromialgia, pueden ser moduladas con la alimentación. Comer bien nos aporta todos los nutrientes que nuestro organismo necesita para su funcionamiento y regulación, tanto cuando estamos sanos como cuando padecemos alguna patología.

Entre las diferentes hipótesis que se plantean sobre el desarrollo de la fibromialgia, muchos estudios hablan sobre el incremento del estrés oxidativo en estos pacientes. Esta es una de las teorías que ha tomado cierta relevancia, aunque hasta el momento no es posible discernir si la oxidación excesiva es una consecuencia de la enfermedad o participa de alguna forma en su desarrollo.

De cualquier modo, al ser un hecho probado que el estrés oxidativo suele ser elevado en pacientes con fibromialgia, parece razonable plantearse si la ingesta de nutrientes y otras sustancias antioxidantes presentes en los alimentos vegetales es la suficiente.

Otro aspecto importante relacionado con el estado nutricional de los pacientes con fibromialgia es la mayor prevalencia de sobrepeso y obesidad que en la población general. El exceso de peso tiene un impacto negativo importante en estas personas y además se ha comprobado que afecta negativamente a la calidad de vida, a la funcionalidad física y al dolor. De hecho, la reducción de peso da lugar a mejoría con lo que, en cualquier caso, procurar un peso saludable siempre será una herramienta útil en el abordaje de la fibromialgia.

También se han puesto de manifiesto otros aspectos que deben tenerse en cuenta de forma individual, ya que podemos encontrar en algunos pacientes: a) una tasa metabólica basal en reposo más baja que en las personas sanas, b) alteraciones del tiroides, c) posibles deficiencias nutricionales en vitamina D y algunos minerales, d) múltiples problemas gastrointestinales que pueden ir desde simples molestias digestivas o flatulencias, síndrome de colon irritable e intolerancias alimentarias. Todo ello determinará la necesidad de ajustes nutricionales, aunque es importante tener en cuenta que los datos científicos actuales no permiten establecer recomendaciones nutricionales generalizadas, ni mucho menos extremistas, en la fibromialgia.

Suplementos nutricionales

Algunos estudios han sugerido el posible rol que desempeñan los suplementos nutricionales como complemento de la ingesta de nutrientes de la dieta. En general, el suplemento nutricional más utilizado por las personas con fibromialgia es el compuesto de varias vitaminas y minerales, seguido del magnesio.

Sin embargo, los veteranos del uso de suplementos nutricionales suelen abandonar el magnesio en favor de otros suplementos menos conocidos, en busca de acciones más específicas, como los antioxidantes, los aminoácidos o la L-carnitina. Algunos pacientes los utilizan por iniciativa propia, pero lo más sorprendente, dado el escaso apoyo científico actual a la utilización de suplementos nutricionales en la fibromialgia, es que aproximadamente tres de cada cuatro personas con fibromialgia que utilizan suplementos nutricionales dicen hacerlo por recomendación médica.

Los datos actuales en cuanto a un posible déficit de hierro, vitamina D, cadmio, cobalto, cobre, selenio, estaño, zinc o magnesio como característica de las personas con fibromialgia son contradictorios. Por tanto, y a no ser que su médico le diagnostique una carencia específica de alguna de estas sustancias (por ejemplo, una anemia), o esté claro que hay una ingesta insuficiente de algún nutriente, no es necesario utilizar suplementos nutricionales para tratar la fibromialgia.

Por ejemplo, los suplementos dietéticos de creatina (sustancia que es eficaz para la pérdida de musculación debida al envejecimiento) parecen mejorar un poco la fuerza muscular en los pacientes con fibromialgia. Sin embargo, no mejoran de manera importante el dolor, el sueño, las funciones cognitivas o la calidad de vida. La melatonina ha mostrado un modesto efecto positivo en el sueño en un pequeño grupo de pacientes. Algunos preparados comerciales de oxígeno disuelto, electrolitos, minerales, enzimas y aminoácidos no son mejores que el placebo para la reducción de los síntomas.

Un metaanálisis sobre terapias centradas en suplementos dietéticos o nutricionales señala que hay algunos ensayos aislados que muestran mejoría en algún parámetro con el suplemento dietético s-adenosilmetionina. Alguna experiencia piloto realizada posteriormente con coenzima Q también ha destacado la posibilidad de un posible beneficio en la sensación de fatiga. Sin embargo, la evidencia es totalmente insuficiente para afirmar que cualquiera de estos productos es eficaz en la mejora de algún síntoma en estos pacientes.

Otros productos como la soja no mostraron diferencias con el placebo.

De todos modos, algunas recomendaciones individualizadas y coherentes pueden ser razonables. Por ejemplo, los complementos multivitamínicos-multiminerales un par de veces al año para personas que puedan tener una malabsorción o una fatiga acentuada por una dieta pobre en alimentos vegetales, o productos a base de omega-3 para aquellos pacientes en los que la ingesta de pescado azul y frutos secos no sea posible o sea realmente baja. En cualquier caso, es interesante realizar una evaluación completa de la dieta habitual del paciente y también de su medicación para así valorar posibles déficits o ingestas bajas.

Antioxidantes

En los últimos años se ha pensado que las personas con fibromialgia podrían presentar un mayor nivel de estrés oxidativo y, por tanto, se planteó la posibilidad de que los radicales libres fueran uno de los factores responsables del desarrollo de la fibromialgia. Por este motivo, parecería razonable utilizar antioxidantes para el tratamiento de esta enfermedad. Desafortunadamente, los datos de que disponemos actualmente no son excesivamente concluyentes.

1. Por ejemplo, la ingesta regular de *Chlorella pyrenoidosa* (un alga rica en vitaminas, proteínas y minerales) parece producir un efecto moderado, según estudios realizados principalmente por un grupo de investigación con grupos pequeños de pacientes.

2. Los estudios sobre la toma de coenzima Q10 han sido realizados principalmente por un solo equipo de investigación en grupos pequeños de pacientes muy seleccionados. Aunque estos estudios piloto apuntan a una reducción de los síntomas, sus resultados no pueden ser extrapolables a una recomendación general, hasta no disponer de estudios controlados de mayor calidad y número de pacientes.

En resumen, la eficacia actual de los suplementos antioxidantes en el tratamiento de la fibromialgia dista mucho de estar científicamente probada. Lo que sí es importante es que estos antioxidantes estén presentes en la dieta a través del consumo diario de verduras, hortalizas, frutas, semillas y frutos secos. Su ingesta a partir de los alimentos asegura una buena cantidad y proporción entre las diferentes vitaminas, minerales y otras sustancias que ejercen esta función.

Asimismo, tenga en cuenta que el uso de suplementos antioxidantes no está exento de riesgos. Por ejemplo, algunos datos sugieren que dosis elevadas de betacaroteno en fumadores podrían acompañarse de un aumento de los casos de cáncer de pulmón, probablemente por provocar un desequilibrio en el organismo.

Recomendaciones dietéticas

Existen más de 600.000 páginas web en castellano que recomiendan modificaciones dietéticas para las personas que sufren de fibromialgia. Muchas de ellas aceptan que sus sugerencias se basan únicamente en la experiencia de los enfermos y no en estudios científicos. Otras afirman, sin basarse en resultados científicos, que es necesario eliminar uno u otro grupo de alimentos, o que es necesario tomar ciertos productos o súper-alimentos para encontrar la recuperación.

Es cierto que, tanto en la fibromialgia, en el síndrome de fatiga crónica, o en cualquier otra patología de carácter crónico, una dieta adecuada puede aportar una mejor salud y mejor calidad de vida a los pacientes. Lo que es importante es que esta dieta sea individualizada, adaptada a las circunstancias de cada persona, y que no ponga en riesgo su estado nutricional por excesos o defectos de determinados nutrientes o calorías.

Dietas

La **dieta vegetariana** estricta con productos sin cocinar ha producido efectos positivos y sorprendentemente muy superiores al resto de los tratamientos conocidos, según los resultados de estudios efectuados en muy pocos pacientes. En estos estudios se planteaba que, dado que la fibromialgia produce estrés oxidativo, podría beneficiarse de dietas ricas en antioxidantes, como pueden ser aquellas basadas en productos vegetales crudos.

Los pacientes que siguieron este tipo de dieta mostraron unos niveles más elevados de beta y alfacarotenos, licopenos y luteína, vitamina C y vitamina E en el plasma que los controles que siguieron una dieta normal. También eran mucho más elevados los niveles de otros compuestos antioxidantes como los polifenoles. Además, los pacientes experimentaron mejoría en la rigidez de las articulaciones y en el dolor, así como una mejora en su percepción de salud. Debido a la posibilidad del beneficio de las dietas vegetarianas ricas en antioxidantes en estos pacientes, también se evaluaron los efectos de las mismas en los síntomas, con resultados bastante positivos frente a dietas omnívoras.

Sin embargo, la dieta vegetariana no es factible para todo el mundo, su mantenimiento en el tiempo es difícil y no está exenta de riesgos de deficiencias nutricionales. Además, el efecto beneficioso en el dolor, la rigidez matutina, la depresión, el sueño, la capacidad funcional y el índice de masa corporal, parece que se perdía al cabo de un tiempo. Así, hoy en día no hay información suficiente para recomendar de forma generalizada las dietas vegetarianas a las personas con fibromialgia, pero sí es razonable y coherente recomendar una ingesta más elevada de alimentos de origen vegetal.

Otras propuestas de dietas para las personas que tienen fibromialgia consisten en eliminar sustancias que se supone que excitan la actividad de las neuronas de una manera anormal y potencialmente perjudicial. En concreto, se ha puesto a prueba el efecto de eliminar de la dieta el glutamato monosódico (un potenciador del sabor) y el aspartamo (un edulcorante). Hasta el momento, los resultados son contradictorios. En algún estudio se ha observado de forma anecdótica una desaparición completa de los síntomas de la fibromialgia tras eliminar de la dieta el glutamato monosódico, el aspartamo, o ambos, mientras que en otro estudio más amplio no se observó ningún efecto tras la retirada de estos compuestos. La recomendación más adecuada en este sentido es llevar una alimentación lo más natural posible, con más proporción de alimentos frescos frente a los alimentos procesados.

No existen suficientes estudios sobre el efecto de dietas como la **ortomolecular** (dosis altas de vitaminas y minerales, a veces acompañadas de fibra o ácidos grasos), la **macrobiótica o la paleodieta** (comer como supuestamente se hacía en el Paleolítico). Por lo tanto, no sabemos si tienen efectos positivos sobre la fibromialgia y, lo que es más importante, desconocemos si tienen efectos negativos (riesgos nutricionales y para la salud).

En general, tenga en cuenta que una dieta ajustada en calorías, equilibrada y lo más saludable posible, rica en alimentos vegetales, que incluya semanalmente pescado azul y sea baja en otros alimentos de origen animal, dará lugar a una ingesta adecuada de nutrientes que siempre beneficiará en mayor o menor grado al paciente con fibromialgia. Además, no olvide que las recomendaciones más detalladas siempre deben elaborarse de forma individualizada.

Obesidad

Son muchos los estudios que han descrito que la población con fibromialgia tiene una prevalencia mayor de sobrepeso y obesidad que la población en general. En la fibromialgia, parece que la obesidad reduce la capacidad funcional y puede afectar negativamente a la calidad de vida o la gravedad de los síntomas. Sin embargo, hay que tener en cuenta que la relación también podría ser inversa. Es decir, no está claro si la obesidad provoca más dolor, inactividad, depresión y peor calidad de vida o si el dolor, la inactividad, la depresión y una peor calidad de vida favorecen unos hábitos alimentarios que hacen que la persona con fibromialgia gane peso hasta alcanzar un estado de obesidad.

Sea como fuere, la obesidad tiene un impacto importante, pues además de aumentar los riesgos de otras enfermedades, se ha comprobado que por sí misma es un motivo de disminución de la calidad de vida y de la funcionalidad física y de aumento del dolor. Parece ser que el estado de inflamación crónica que produce el sobrepeso o la obesidad podría magnificar los síntomas de la fibromialgia.

En recientes estudios se manifiesta la relación que existe entre la obesidad y las enfermedades que cursan con dolor crónico. De hecho, se ha demostrado que en la fibromialgia, al igual que en otras patologías relacionadas con el sistema músculo-esquelético, la reducción de peso da lugar a una considerable mejora de la sintomatología. Esto es debido, en primer lugar, a la disminución de la carga de peso sobre el aparato locomotor y las articulaciones, pero también a que se disminuye el estado proinflamatorio que causa alteraciones metabólicas.

En cualquier caso, la mejora de la obesidad beneficia a las personas con fibromialgia, de manera que la pérdida de peso disminuyendo la masa grasa corporal y manteniendo, e incluso aumentando, la masa muscular da lugar a beneficios en la salud de las personas y mejora en parte la sintomatología.

Otras patologías concomitantes que puedan mejorar con la dieta

Además de la necesidad de intervenir en el sobrepeso y la obesidad en los pacientes con fibromialgia, existen otras patologías digestivas relacionadas que podrían ser tributarias de mejorar con la dieta.

Un porcentaje importante de los pacientes con fibromialgia sufren el llamado **síndrome de colon irritable** (SCI), que se manifiesta por alteraciones del ritmo intestinal (alternando episodios de estreñimiento con episodios de diarrea), dolores cólicos abdominales, distensión abdominal y flatulencia, entre otros. La frecuencia o prevalencia del síndrome de colon irritable en los pacientes con fibromialgia es muy elevada: diferentes estudios señalan que entre el 63 y el 81% de los pacientes con fibromialgia presentan estos síntomas. Parece obvio, por tanto, que es necesario un abordaje nutricional con una dieta adecuada para mejorar los síntomas del síndrome de colon irritable asociado, que contribuya a mejorar los ritmos intestinales y los procesos de fermentación anómalos que se produzcan durante el proceso de la digestión.

Por otra parte, algunos pacientes con fibromialgia tienen la percepción de que algunos alimentos les inducen molestias gastrointestinales e incluso empeoramiento de los síntomas. Estas molestias no siempre responden a alergias o intolerancias alimentarias propiamente dichas, pues es habitual que los pacientes perciban que un mismo alimento les puede sentar bien o mal dependiendo del día o del momento. Alimentos como el pan, la leche y algunas frutas o verduras suelen ser los principales acusados o causantes de este malestar, que suele tener como manifestación principal la flatulencia. Es típico que esta sensación de flatulencia no esté presente por la mañana y se vaya acentuando a lo largo del día. Debido a esto, muchos pacientes han cambiado su dieta por su propia iniciativa o por consejo de algún profesional.

Se ha observado en algunos casos que la eliminación total o parcial de hidratos de carbono de cadena corta (azúcares), por ejemplo, algunos disacáridos de la leche, frutas y verduras como la lactosa, lactulosa, fructosa, etcétera, puede dar lugar a mejoría. La razón podría ser que en algunos pacientes se da una baja absorción de estos azúcares y, por tanto, se produce una elevada fermentación en el tubo digestivo, lo que lleva a una producción elevada de gases. Es muy importante tener en cuenta estas alteraciones gastrointestinales en los pacientes para así personalizar las recomendaciones dietéticas.

Sin embargo, hemos de tener en cuenta que hasta la fecha no existen estudios solventes que evalúen la eficacia de abstenerse de ciertos alimentos (productos lácteos, féculas o hidratos de carbono, etcétera) sobre los síntomas en los pacientes con fibromialgia.

Otra patología en la que se ha sugerido una posible relación con la fibromialgia es la **celiaquía** (sensibilidad o intolerancia al gluten). Actualmente, sabemos que entre las personas con fibromialgia no existe un mayor porcentaje de casos de intolerancia al gluten que en la población normal. Por tanto, y a pesar de algunas observaciones anecdóticas sobre el beneficio de la dieta sin gluten en los pacientes de fibromialgia, no hay motivos suficientes para que dichos pacientes deban someterse a una dieta de alimentos sin gluten, a menos que su médico les haya diagnosticado una celiaquía.

A pesar de que en la actualidad empieza también a hablarse de la sensibilidad al gluten no celíaca, debemos tomar esta entidad con precaución, pues se desconoce si su origen es realmente por una mala tolerancia al gluten en sí mismo o por una alteración de la funcionalidad intestinal o de la microbiota que provoca dicha intolerancia. Sobre este tema es necesario investigar en más detalle y con mayor número de pacientes.

Las terapias alternativas

El Diccionario de la Lengua Española define la **Medicina** como ¨Ciencia y arte de prevenir y curar las enfermedades del cuerpo humano¨. La medicina actual y convencional se basa desde el siglo XVII en el método científico, lo que sencillamente quiere decir que se basa en la observación y experimentación contrastada, reproducible por otros grupos de investigación en las mismas condiciones, y cuyos resultados se publican en revistas científicas que poseen métodos de revisión y control de la veracidad de los datos comunicados.

La medicina alternativa es un conjunto de prácticas, productos y terapias con base generalmente en otras culturas medicinales provenientes de Oriente (India o China) o la América precolombina, que no se consideran parte de la medicina convencional. Los límites entre la medicina convencional y la medicina alternativa no son perfectamente claros, aunque una característica tradicional de esta última es que su aplicación no ha estado apoyada por la evidencia obtenida mediante el método científico. Por tanto, por su efectividad no ha sido probada en muchos casos, más allá del efecto placebo, un efecto no relacionado con el procedimiento terapéutico, sino con la propia intención de tratar.

Sin embargo, la medicina alternativa es frecuentemente utilizada hoy en día en algunos países occidentales, donde se ha observado que entre un 35-40% de la población utiliza en alguna ocasión algún método alternativo para influir en su salud. Las causas de este uso no solo responden a una percepción de un cierto fracaso de los métodos convencionales, sino que los miedos a tratamientos invasivos o a efectos adversos de los medicamentos, animan el interés de muchas personas a acceder a tratamientos a los que se les atribuye ser más naturales y menos elaborados.

Estos hechos han impulsado la necesidad de que se realicen mas ensayos terapéuticos controlados con estos métodos alternativos bajo un proceso de validez científica que sea capaz de demostrar los auténticos beneficios de la aplicación de estas terapias de una forma aislada o complementaria, borrando así los limites entre la medicina convencional y la medicina alternativa, bajo un concepto que es la medicina basada en la evidencia.

En la tabla siguiente, se enumeran las diferentes terapias incluidas en la medicina alternativa relacionadas por el Centro Nacional para la Medicina Alternativa y Complementaria (NCCAM) de Estados Unidos.

1. **Terapias manuales o manipulativas**. Precisan contacto físico con el paciente, entre ellas:
   - **Acupresión**: práctica milenaria de origen chino que se utiliza para restaurar el flujo de energía por los meridianos. Implica el uso de los dedos, los nudillos y las palmas de las manos para aplicar presión en el cuerpo.
   - **Acupuntura:** se basa en el mismo principio de la acupresión. También es de origen chino y de utilización milenaria. Está basada en la introducción de agujas en determinados meridianos para bloquearlos o activarlos.
   - **Quiropráctica**: se centra en la presión manual de la columna vertebral.
   - **Hidroterapia o balneoterapia**: es el uso de agua caliente o fría con fines terapéuticos.
   - **Masoterapia**: utiliza el masaje corporal en sus múltiples facetas.
   - **Osteopatía**: utiliza técnicas de presión sobre el cuerpo
2. **Terapias de cuerpo y mente**
   - Aromaterapia
   - Hipnosis
   - Meditación
   - Musicoterapia
   - Oración
   - Técnicas de relajación como la relajación muscular y técnicas de respiración
   - Qi Gong
   - Taichi
   - Yoga
3. **Filosofías alternativas**
   - Medicina china, basada en el equilibrio del yin y del yang.
   - Tratamientos ayurvédicos, practicados en India.

- Medicina japonesa. Reiki y shiatsu.
4. **Medicinas naturales**:
   - Naturopatía
   - Homeopatía
   - Fitoterapia: utiliza los plantas.
   - Terapia nutricional
   - Flores de Bach
5. **Otras:**
   - Ozonoterapia
   - Dietas múltiples: veganas, vegetarianas, macrobióticas
   - Suplementos nutricionales de minerales o vitaminas

Como hemos comentado previamente, la eficacia limitada de los tratamientos en muchos pacientes con fibromialgia, así como la resistencia a tomar ciertos medicamentos por los posibles efectos adversos indeseables, determinan el uso frecuente de terapias alternativas.

De todas las posibles actividades saludables, los pacientes con fibromialgia se implican sobre todo en actividades sociales y de crecimiento espiritual y muy poco en actividades físicas.

En un estudio sobre la utilización de la medicina alternativa entendida de manera amplia (desde las hierbas caseras o de herborista hasta las pulseras magnéticas) se ha observado que, en comparación con otras enfermedades reumatológicas, los pacientes con fibromialgia son los que en mayor número sustituyen o complementan la medicina tradicional por la alternativa, a pesar de que no observan un mayor beneficio que el que obtienen con métodos de la medicina basada en la evidencia.

Afortunadamente, disponemos de algunas revisiones sistemáticas y meta-análisis realizados sobre los ensayos clínicos que han investigado el efecto de la medicina natural, alternativa y complementaria en los pacientes con fibromialgia.

En general, los estudios son de baja calidad, realizados con muestras pequeñas y sin seguimiento a largo plazo Por otra parte, no muestran una evidencia muy significativa sobre la eficacia de estas terapias naturales en el tratamiento de la fibromialgia. Resumimos a continuación los resultados obtenidos en algunas de las terapias naturales más utilizadas.

Acupuntura

Los metaanálisis más recientes y una revisión sistemática sobre acupuntura en fibromialgia coinciden en que no hay suficiente evidencia para recomendar la acupuntura como tratamiento en pacientes con fibromialgia, especialmente si es tratamiento único, aunque algunos estudios muestran una leve mejora del dolor a corto plazo en estos pacientes. Si se utiliza, es preferible elegir la electroacupuntura y realizar entre 6 y 12 sesiones. Habitualmente, no se obtiene más beneficio prolongando la terapia.

Balneoterapia

Diversas revisiones sistemáticas han observado que algunos ensayos clínicos muestran que la balneoterapia mejora moderadamente el dolor, la fatiga y la ansiedad en los pacientes con fibromialgia, durante un periodo inferior a tres meses, pero no se han observado diferencias con el efecto que puede tener un periodo vacacional sobre el paciente.

Hemos de tener en cuenta que uno de los elementos esenciales de la balneoterapia son los baños de agua caliente entre 37° y 40°. La experiencia nos muestra que este procedimiento es realizado por muchos pacientes con fibromialgia en su casa, al despertarse o antes de acostarse, y la mayor parte de ellos refieren un alivio transitorio del dolor y la rigidez. Desconocemos si la realización en un balneario aporta un beneficio mayor.

Terapia manual: masajes y quiropraxia

Algunos estudios han mostrado algún alivio del dolor en personas con dolor miofascial, relacionado con bandas de contractura muscular, especialmente en trapecios y espalda, muy frecuente también en personas con fibromialgia.

Cuando se ha aplicado a personas con fibromialgia, su beneficio solo ha podido constatarse durante unas pocas horas y no de forma persistente. Hay que destacar también que los masajes realizados sin tener en cuenta las características de la fibromialgia pueden provocar más dolor.

Por otra parte, en las diversas revisiones sistemáticas no se ha demostrado un efecto beneficioso del tratamiento en la fibromialgia con otra técnica manipulativa como es el tratamiento quiropráctico y, por tanto, no recomendamos su uso.

Homeopatía

Dos revisiones sistemáticas, publicadas en 2010 y en 2014 sobre el tratamiento con homeopatía, ponen de manifiesto que parece observarse un efecto positivo y superior al placebo en el dolor y la fatiga mediante tratamiento homeopático. No obstante, debido a las características de los estudios, con alto riesgo de sesgo, se concluye que aunque hay una base para explorar sus beneficios no está demostrada aun su eficacia.

Ozonoterapia

Se ha publicado una revisión sobre ozonoterapia que no encontró ningún ensayo clínico controlado con este tratamiento. Por este motivo, no se debe recomendar la ozonoterapia como tratamiento en pacientes con fibromialgia.

Qi-gong, reiki, taichi, musicoterapia

Los estudios de calidad realizados con qi-gong y reiki no han mostrado ningún beneficio en los pacientes con fibromialgia cuando se comparan con placebo.

Algunos estudios realizados sobre el efecto del taichi o la musicoterapia evidencian algunos beneficios para los pacientes con fibromialgia, aunque son pocos estudios y con limitaciones metodológicas que no permiten todavía una recomendación especifica.

Terapia hortícola

La terapia hortícola se basa en la realización de actividades de jardinería bajo la supervisión de un terapeuta. Además de los beneficios físicos de la jardinería, los terapeutas hortícolas sostienen que este tipo de intervención conlleva otros beneficios como el disfrute de la belleza, colores y olores del jardín; el fomento de las actividades sociales, y la oportunidad de poner en práctica un enfrentamiento activo del dolor (por ejemplo, relajándose y reduciendo el catastrofismo).

Desafortunadamente, este tipo de intervención no ha demostrado ser capaz de producir más que una mejoría muy discreta y no contrastada.

Las terapias alternativas suelen definirse como más naturales, lo que a veces se entiende como menos perjudiciales. Sin embargo, no están exentas de efectos adversos, algunas veces poco estudiados. En todo caso, si se decide optar por utilizar alguna de estas alternativas a la medicina deberíamos comunicarlo a nuestro médico de referencia para que participe en la atención y cuidado de la enfermedad.

Aunque no existe una evidencia científica significativa que demuestre que las llamadas terapias alternativas sean beneficiosas, hay algunas pruebas que indican que la acupuntura, la homeopatía, la hidroterapia y la masoterapia ofrecen un beneficio a corto plazo sobre algún síntoma, lo cual requiere ser comprobado con estudios mejor diseñados.

El estado actual del conocimiento y los costes económicos que suponen para el paciente no justifican una recomendación de las mismas de forma aislada o complementaria en los pacientes con fibromialgia.

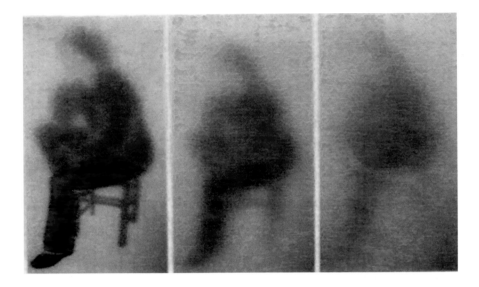

Esta imagen de la que es autora Montse Forns forma parte de *Caram!*, un conjunto de 35 obras realizadas por los alumnos adultos del *Taller d'Art Jordi Aligué i Anna Bellvehí* de Cardedeu en solidaridad con las personas afectadas de fibromialgia. Esta imagen ha sido seleccionada en una de las exposiciones itinerantes de las obras por diversos hospitales, promocionadas por la Federación Catalana de Fibromialgia y Síndrome de Fatiga Crónica.

Anexo 1

Asociaciones

1. España

Andalucía

Federación Alba Andalucía. http://www.albaandalucia.es/

ALMERÍA

Nombre	Localidad	Web
ABDERA	Adra	
AFIAL	Almería	http://www.afialalmeria.es/
AFIPA	Roquetas de Mar	http://fibromialgia-poniente.org/
AFIVE	Vera	
AVANZAMO	Pulpí	

CÁDIZ

Nombre	Localidad	Web
AFICAGI	Algeciras	http://www.aficagi.es/
AFICHI	Chiclana	www.afichi.com
AFIJE	Jerez de la Frontera	
AFIPO	Puerto de Santa María	http://afipo.webnode.es/
AFITA	Tarifa	
AGAFI	Cádiz	http://www.agaficadiz.com/
APREFI	Prado del Rey	
AROFI	Rota	

ASAFI	Sanlúcar de Barrameda
ASCFIBROM	Ubrique
ASFIOL	Olvera
FIBROESPERA	Cádiz

CEUTA Y MELILLA

Nombre	Localidad	Web
AFAC	Ceuta	
FIBROMIALGIA-MELILLA	Melilla	https://fibromialgiamelilla.wordpress.com/

CÓRDOBA

Nombre	Localidad	Web
ACOFI	Córdoba	www.acofi.es
AEMFI	Palma del Río	
AFINORC	Pozoblanco	http://afinorc.blogspot.com.es/2011/12/afinorc-asociacion-de-fibromialgia-del.html
AFISUB	Priego de Córdoba	

GRANADA

Nombre	Localidad	Web
AFIDOAL	Baza	http://www.asociacionandaluzadeldolor.es/2014/02/afidoal-asociacion-de-pacientes-de-fibromialgia-baza/
AGRAFIM	Granada	http://www.agrafim.com/
ALFI	Illora	

HUELVA

Nombre	Localidad	Web
AEMFAL	Aljaraque	
AFIAMAR	Huelva	
AFIBO	Bollullos del Condado	
AFIBRONU	Huelva	
AFICON	La Palma del Condado	
FIBROSIERRA	Aracena	
SALUD EN TU VIDA	Chucena	

JAÉN

Nombre	Localidad	Web
AFAB	Baeza	http://fibromialgiabaeza.blogspot.com.es/
AFIXA	Jaén	http://www.afixa.org/
CAVIAS	Linares	http://cavias.portalsolidario.net/

MÁLAGA

Nombre	Localidad	Web
AEFAC	Antequera	
AFIMAR	Málaga	
AFIMES	Estepona	http://www.afimes.es/
AFISAMP	San Pedro de Alcántara	
AFPOM	Campillos	
AMSFC	Torremolinos	
APAFFER	Mijas	
APAFIMA	Málaga	http://www.apafima.org/
FIBRORONDA	Ronda	http://fibroronda.galeon.com

SEVILLA

Nombre	Localidad	Web
AAASFC	Alcalá de Guadaira	
AFA	Alcalá de Guadaira	
AFIBREN	Brenes	
AFIBROCABEZA	Las Cabezas de San Juan	
AFIBROSE	Sevilla	http://afibrose.org/
AFICAR	Carmona	http://www.aficar.es/
AFIMOPU	La Puebla de Cazalla	http://afimopu.es/?q=inicio
AFINA	Dos Hermanas	
AFITOR	Sevilla	
APEFIR	Los Palacios y Villafranca	
ARCOVILLA	Utrera	http://fibromialgiautrera.com
ASFIBROSUR	Los Corrales	
ATEF	Sevilla	
FIBESCOA	Estepa	http://fibescoa.blogspot.com.es/
FIBROADELANTE	Osuna	
FIBROALCORES	Mairena de Alcor	
FIBROALJARAFE	San Juan de Aznalfarache	http://fibroaljarafesanjuan.blogspot.com.es
FIBROAZNALCAZAR	Aznalcazar	
FIBROBEN	Pilas	
FIBROBEN.A. KAZUM	Benacazón	
FIBROCAMPIÑA	Marchena	
FIBROCASTRIL	Castilblanco de los Arroyos	http://fibrocastril.blogspot.com.es/

FIBROCASTICUESTA	Castilleja de la Cuesta	
FIBROGELDUBA	Gelves	http://fibrogelduba.blogspot.com.es/
FIBROGUADALQUIVIR	Cora del Río	http://www.elrincondelafibromialgia.com/2011/02/fibroguadalquivir.html
FIBROHUEZNAR	Cazalla de la Sierra	http://fibrohueznar.blogspot.com.es/
FIBROMORON	Morón de la Frontera	
FIBROTRIARE	Sevilla	http://www.fibrotriare.org/
FIBROVIDA	Bormujos	
FRANTER SAN PABLO	Écija	http://www.fratersanpablo.org/index.php/fibromialgia
OCIO Y SALUD	Sevilla	http://federaciondemujerescerroamate.blogspot.com.es/p/ocio-y-salud.html
REARFIBRO	Pilas	

Aragón

Nombre	Localidad	Web
ADARA	Zaragoza	
AFIFACINCA	Huesca	
AFIFASENTERUEL	Teruel	http://www.afifasen.es/
ASAFA	Zaragoza	http://www.asafa.es/

Asturias

Nombre	Localidad	Web
AENFIPA	Oviedo	http://www.fibromialgia-asturias.org/
LAR	Avilés	http://ligareumatologicaasturiana.com/

Baleares

Nombre	Localidad	Web
ABAF	Palma de Mallorca	
AFFAC	Ibiza	http://fibropitiuses.blogspot.com.es/
AFIC	Inca	
AFIMER		

Canarias

Nombre	Localidad	Web
AFIBROLAN	Lanzarote	http://www.afibrolan.org/
AFIGRANCA	Las Palmas de Gran Canaria	http://afigranca.org/
AFITEN	Santa Cruz de Tenerife	http://www.afiten.com/web/
ASENFI	Tejina- Santa Cruz de Tenerife	
ASTER	Santa Cruz de Tenerife	

Cantabria

Nombre	Localidad	Web
ACEF	Santander	

Castilla-León

Nombre	Localidad	Web
AEFMA	Astorga	
AFAC	Aranda de Duero	
AFACYL	Palencia	http://fibropalencia.embodados.com/la-asociacion/
AFIBE	Benavente	
AFIBROSAL	Salamanca	http://www.afibrosal.org/inicio.php
AFICROVALL	Valladolid	http://aficrovall.jimdo.com/
AFIBUR	Burgos	http://afibur.blogspot.com.es/
AFIMEC	Medina del Campo	
AFIZA	Zamora	
AFMAVI	Ávila	
ALEFAS	León	https://alefasdotcom.wordpress.com/quienes-somos/
AMPAF	Burgos	
FFISCYL	Salamanca	
FIBROAS	Soria	
FIBROBIERZO	León	
FIBROSEGOVIA	Segovia	

Castilla-La Mancha

Nombre	Localidad	Web
AFIBROAL	Almansa (Albacete)	http://afibroal.webnode.es/
AFIBROALBA	Albacete	http://afibroalba.blogspot.com.es/
AFIBROC.	Daimiel (Ciudad Real)	
FIBROHE	Hellín (Albacete)	
AFIBROSAN	Malagón (Ciudad Real)	
AFIBROTAR	Talavera de la Reina (Toledo)	http://afibrotar.blogia.com/
AFIBROTOL	Puertollano (Ciudad Real)	http://afibrotol-l3c.blogspot.com.es/
AFIBROVI	Villarrubia de los Ojos (Ciudad Real)	
AFIBROVI	Villarobledo (Albacete)	http://www.afibrovi.es/
AFIGUADA	Guadalajara	http://www.afiguada.es/
AVANCE	Caudete (Albacete)	
FFCLM	Guadalajara	http://www.ffclm.es/

| FIBROCUENCA | Cuenca | |
| TRÉBOL | Puertollano (Ciudad Real) | http://fmtrebolpuertollano.es/la_asociacion.php |

Cataluña

BARCELONA

Nombre	Localidad	Web
ACAF	Igualada	http://www.fibromialgia.cat/
AFAR	Argentona	
AFFACC	Cerdanyola del Vallés	
AFFCB	Berga	
AFFM	Martorell	
AFG	Sant Pere de Ribes	http://fibrogarraf.blogspot.com.es/
AFGAVA	Gavá	
AFIBROCAT	Barcelona	http://www.afibrocat.com/
AFIFAC	Santa Perpetua	http://afifacsp.blogspot.com.es/
AFIMAT	Mataró	http://www.afimat.info/
AFIMIR	Moncada i Reixach	
AFIMOIC	Mollet del Vallés	http://afimoic.entitats.parets.org/
APAFI	Palau Solita i Plegamans	http://asocionapafi.blogspot.com.es/p/fibromialgia.html
ASSOCIACIÓ DE FM I SFC DE RIPOLLET	Ripollet	
AVAF	Viladecans	
BAAF	Badalona	https://fibromialgiabadalona.wordpress.com/
FIBROBAIX	Sant Boi de Llobregat	
FIBROESPI SFC	Sant Joan Despí	
FIBROFELS	Castelldefels	http://www.fibrofels.org/
FF- FUNDACIÓN AFECTADOS FIBROMIALGIA Y SÍNDROME DE FATIGA CRÓNICA	Barcelona	http://www.laff.es/
FUNDACIÓ PER A LA FIBROMIALGIA I LA SÍNDROME DE FATIGA CRÓNICA	Barcelona	http://www.fundacionfatiga.org/

GIRONA

Nombre	Localidad	Web
ACASSC	Cassá de la Selva	

LLEIDA

Nombre	Localidad	Web
AFIFALL	Lleida	
FIBROLLEIDA	Lleida	http://fibrolleida.blogspot.com.es/

TARRAGONA

Nombre	Localidad	Web
AFICAM	Cambrils	
AFISAN	San Carlos de la Rápita	
ASSOCIACIÓ FM DE L'HOSPITALET DEL INFANT	Hospitalet de l'Infant	
XARXA SOLIUDARIA DE VALLS- ALT CAMP	Valls	

Euskadi

Nombre	Localidad	Web
ASAFIMA	Vitoria-Gasteiz	http://www.asafima.org/
AVAFAS	Bilbao	http://www.euskalnet.net/avafas/
BIZI-BIDE	Zarautz	http://www.bizi-bide.com
DEFIBEL	Debabarrena	http://www.defibel.org/
EMAN ESKUA	Bilbao	http://emaneskua.com/

Extremadura

Nombre	Localidad	Web
AFIBA	Badajoz	http://www.cocemfebadajoz.org/Principal.aspx?viene=EntidadesC&clave=21
AFIBROAL	Almendralejo	http://afibroal.webnode.es/
AFIBROL	Olivenza	http://afibrol.blogspot.com.es/
AFIBROAM	Valle de Ambroz-Cáceres	
AFIBRODON	Don Benito	
AFIBROEX	Cáceres	http://www.afibroex.com/
AFIBROMERIDA	Mérida	
AFIBROMIAJADAS	Miajadas	
AFIJER	Jérez de los Caballeros	
AFYER	San Vicente de Alcántara	http://afyer.blogspot.com.es/

Galicia

Nombre	Localidad	Web
ACOFIFA	A Coruña	
AFFINOR	El Ferrol	
AFIBROPO	Vigo	http://afibropo.webnode.es/
AFOU	Orense	
AGAFI	Santiago de Compostela	http://www.agafi.org/
ALUFI	Lugo	
ARFEOR	El Ferrol	
ASOUFFAA	Orense	
CAF	Pontevedra	http://cafpontevedra.es.tl/QUIENES-SOMOS.htm

La Rioja

Nombre	Localidad	Web
FIBRORIOJA	Logroño	http://fibrorioja.org/

Madrid

Nombre	Localidad	Web
AFIAL	Alcorcón	
AFIBROM	Madrid	http://www.afibrom.org/qcd932/
AFINSYFACRO	Móstoles	http://www.afinsyfacro.es/
AFFAG	Getafe	http://www.affag-getafe.es/
AFIVAL	Valdemoro	
FIBROPARLA	Parla	http://fibroparla.tumblr.com/
SFC-SQM	Madrid	http://www.sfcsqm.com/

Murcia

Nombre	Localidad	Web
ACIF	Cieza	
AFIBROCAR	Cartagena	http://www.afibrocar.com/
AFIYE	Yecla	
AFFILOR	Lorca	
AFFIRMA	Murcia	
AJUFI	Jumilla	
ASFIFACROM	Murcia	
ASMUFIBROM	Murcia	
ASTOFIBROM	Totana	
FIBROFAMUR	Murcia	http://fibrofamur.blogspot.com.es/

Navarra

Nombre	Localidad	Web
AFINA	Pamplona	http://www.afinanavarra.es/
FRIDA	Pamplona	http://www.frida-fibromialgia.asociacionespamplona.es/Home/_

Valencia

Nombre	Localidad	Web
ADAFIR	Alcira	https://adafir.wordpress.com/
ADEFA	Alicante	
AFA-ALTEA	Altea	
AFEFE	Elche	http://afefe-elche.es.tl/
AFIBROND	Onda	
AFIBROVILA	Villajoyosa	
AFIMA	Denia	http://fibromialgiamarinaalta.es.tl/QUIENES-SOMOS.htm
AFIS	Sueca	
AFISA	Oliva	http://fibromialgialasafor.es.tl/INICIO.htm
AFIVIC	Villena	http://www.afivic.org/
AMFO	Onteniente	
ASFIEL	Elda	http://www.asfiel.org/
ASOFIBEN	Benidorm	http://www.asofiben.es/queeslafibromialgia.html
AVAFI	Valencia	http://www.avafi.es/
DIFFAC	Gandía	http://diffac.blogspot.com.es/
FIBROASFIAL	Alcoy	

2. Latinoamérica

Nombre	País	Web
Asociación Civil Fibroamérica	Argentina	http://www.asociacionfibroamerica.org/
Grupo de Ayuda Mutua	Argentina	
Asociación Abrafibro	Brasil	http://abrafibro.blogspot.com
Corporación de Fibromialgia de Chile	Chile	www.fibromialgiachile.cl
Fundación Colombiana de Fibromialgia	Colombia	http://fibrocolombia.blogspot.com/
Asociación de Fibromialgia de Costa Rica	Costa Rica	http://www.saludcostarricense.com/temas_medicos/fibromialgia/asociacion_fibromialgia.html
Cadena de Ayuda Contra la Fibromialgia	México	www.cacf.org.mx
Fibromialgia Creser	México	http://www.fibromialgiacreser.com/index.php/bienvenida
AMEFFAC- Asociación de Fibromialgia y Fatiga Crónica	México	www.ameffac.org
Asociación de Fibromialgia de Paraguay	Paraguay	http://www.fibromialgiaparaguay.blogspot.com
FUNDOFIBRO	República Dominicana	
Asociación de Fibromialgia de Uruguay	Uruguay	
Fundación Zuliana de Fibromialgia	Venezuela	http://fundazufi.blogspot.com.es/

Anexo 2

Concesión de aval

SED - Sociedad Española del Dolor

FF - Fundación de Afectados de Fibromialgia y Síndrome de Fatiga Crónica

31 de Marzo de 2016

Estimados señores:

Es para mí un placer, dirigirme a ustedes para comunicarles que el proyecto:

"Comprender la Fibromialgia", que se publicará en 2016, coordinado por el Dr. Antonio Collado y la Unidad de Fibromialgia del Hospital Clinic de Barcelona, para el que ustedes han solicitado el AVAL de la Sociedad Española del Dolor (SED), ha sido sometido a la consideración de la junta directiva de la sociedad.

Una vez evaluados sus objetivos y su contenido, la SED ha decidido conceder el aval solicitado, por lo que me es grato comunicarles que a partir de hoy pueden hacer uso de tal disposición, así como de la utilización del logotipo de la SED para refrendar este crédito.

Un cordial saludo,

Dr. Victor Mayoral Rojals
Secretario de la SED

Nota importante: Utilizar el logo de la SED para un uso distinto al expresamente aprobado en el presente documento, puede ser constitivo de falta grave o delito para el que la SED se reserva todos los derechos.

FUNDACIÓN
AFECTADOS Y AFECTADAS
FIBROMIALGIA Y SÍNDROME
FATIGA CRÓNICA
FF ▷▷

Presidencia

Emília Altarriba Alberch, presidenta de la Fundación de Afectados de Fibromialgia y Síndrome de Fatiga Crónica (Fundación FF)

CERTIFICA

Que el libro "Comprender la Fibromialgia" ha recibido el AVAL institucional de la Fundación FF una vez valorada la documentación recibida.

Con este aval, la Fundación FF reconoce el interés del contenido de dicho libro, y, con ello, que se trata de una iniciativa que puede contribuir a una mayor información y formación sobre Fibromialgia y a reducir el impacto sobre el enfermo.

Así mismo, la Fundación FF concede el permiso para hacer constar dicho aval y su logo en el libro.

Lo que certifico en Barcelona, a 30 de noviembre de 2015

Emília Altarriba Alberch
Presidenta Fundació FF

Av. Diagonal 365, 4t 1a — 08037 Barcelona
Teléfon: 93 467 22 22 — e-mail: presidencia@laff.es
www.laff.es